C.S. LEWIS

IL NIPOTE DEL MAGO

Traduzione di Chiara Belliti
Illustrazioni di Pauline Baynes

OSCAR MONDADORI

Alla famiglia Kilmer

Illustrazione di copertina di David Wiesner

Si ringrazia il signor Giuseppe Lippi che per la presente edizione ha curato l'aggiornamento della traduzione.

www.narnia.com

www.ragazzi.mondadori.it

© 1955 CS Lewis Pte. Ltd, per il testo
© 1955 CS Lewis Pte. Ltd, Pauline Baynes per le illustrazioni
© 2007 CS Lewis Pte. Ltd, David Wiesner, per l'illustrazione di copertina
Le Cronache di Narnia ®, Narnia ® e i relativi libri, personaggi e luoghi originari
di "Le Cronache di Narnia" sono marchi registrati da CS Lewis Pte. Ltd.
È severamente vietato l'uso senza previa autorizzazione.
Pubblicato dalla Arnoldo Mondadori Editore S.p.A., Milano
su licenza di CS Lewis Company Ltd
Titolo dell'opera originale *The Magician's Nephew*
Prima edizione nella collana "Junior Master" ottobre 1995
Prima edizione nella collana "Junior Fantasy" giugno 2003
Prima edizione nella collana "Oscar junior" aprile 2010
Stampato presso Mondadori Printing S.p.A.
Stabilimento N.S.M., Cles (TN)
Printed in Italy
ISBN 978-88-04-59905-0

Anno 2011 - Ristampa   13 14

Questa è una storia di tanto tempo fa, quando vostro nonno era ancora bambino, ed è molto importante perché fa vedere come siano cominciati i va' e vieni dalla terra di Narnia.

In quei tempi Sherlock Holmes abitava ancora in Baker Street e i sei ragazzi Bastable cercavano tesori in piena Londra, sulla Lewisham Road. Allora gli insegnanti erano più severi di adesso e se eravate maschi vi costringevano a portare un fastidiosissimo colletto inamidato. Però si mangiava meglio: per quanto riguarda i dolci, non vi dico quanto erano buoni e a buon mercato perché non voglio farvi venire inutilmente l'acquolina in bocca. Sempre a quei tempi, viveva a Londra una ragazzetta che si chiamava Polly Plummer.

Abitava in una casa uguale ad altre tutte uguali, praticamente attaccate l'una all'altra; una mattina, mentre era nel giardino sul retro, un ragazzo si arrampicò sul muro del giardino a fianco e si affacciò nel suo. Polly si meravigliò perché nella casa dei vicini non vivevano bambini ma solo il signor e la signorina Ketterly, due anziani fratelli non sposati. Rimase a guardarlo di sotto in su, incuriosita: il ragazzo aveva la faccia sporchissima. Se avesse strofinato le mani per terra, si fosse fatto un bel pianto e avesse cercato di asciugarsi le lacrime con le mani, non se la sarebbe potuta sporcare di più. In realtà, aveva appena fatto qualcosa di molto simile.

— Ciao — lo salutò Polly.

— Ciao — rispose il ragazzo. — Come ti chiami?

— Polly. E tu?

— Io mi chiamo Digory.

— Che nome buffo! — commentò Polly.

— Mai quanto il tuo — ribatté lui.

— Sì, invece.

— Niente affatto!

— Ad ogni modo, *io* la faccia me la lavo tutte le mattine. E lo dovresti fare anche tu, specialmente dopo…

— "Aver pianto come una fontana" avrebbe voluto aggiungere Polly, ma pensò che non sarebbe stato educato e riuscì a trattenersi.

— E va bene, ho pianto — disse il ragazzo ad alta voce, come se non gli importasse di quello che potevano pensare gli altri. — Vorrei vederti al mio posto. Cosa faresti se, dopo aver sempre abitato in campagna, con un pony tuo e un fiume proprio dove finisce il giardino, improvvisamente ti trascinassero in questo buco schifoso?

— Londra non è un buco — ribatté Polly indignata.

Ma il ragazzo era troppo preso dai suoi guai per poterla ascoltare e proseguì nello sfogo.

— Cosa faresti se tuo padre fosse lontano, in India, e tu fossi costretta a vivere con una zia e uno zio matto da legare (cosa che non fa mai piacere), per la semplice ragione che loro si prendono cura di tua madre malata e che lei... potrebbe morire da un momento all'altro? — La faccia del ragazzo fece la smorfia di chi a stento riesce a trattenere le lacrime.

— Mi dispiace, non immaginavo… — mormorò Polly. E visto che non sapeva cosa dire, cercò di spostare la conversazione su un argomento più allegro.

— Ma il signor Ketterly è pazzo sul serio?

— O è pazzo o nasconde qualche mistero. Ha uno studio in soffitta, ma zia Letty dice che non ci devo assolutamente andare. Una cosa sospetta, non è vero? Non è finita: quando siamo a tavola, ogni volta che lo zio tenta di rivolgermi la parola (pensa che a lei non parla mai), la zia lo zittisce. Gli dice: «Non infastidire il ragazzo, Andrew. Sono certa che Digory non ha voglia di ascoltare le tue chiacchiere.» Oppure: «E adesso, caro Digory, perché non vai a giocare in giardino?»

— Ma lui cosa cerca di dirti?

— Non lo so, perché lei non lo fa parlare. Ma c'è ancora di più. Una sera – anzi, proprio ieri sera, ora che mi ricordo – mentre passavo davanti alle scale che portano in soffitta, per andare in camera mia, ho sentito un grido.

— Forse tuo zio ha una moglie pazza e la tiene rinchiusa lassù.

— L'ho pensato anch'io.

— O è un falsario.

— Magari è un vecchio pirata come quello dell'*Isola del Tesoro*, che si nasconde perché non vuole farsi trovare dai suoi compagni di una volta.

— Ma è emozionante! Non avrei mai pensato che nella tua casa ci fossero tanti misteri.

— Tu credi che sia emozionante — disse Digory — ma cambieresti idea se dovessi dormire là dentro. Non ti piacerebbe stare sveglia a letto, ad ascoltare il rumore dei passi strascicati dello zio Andrew nel corridoio, proprio davanti alla porta della tua cameretta. E ha uno sguardo terrificante.

Fu così che Polly e Digory diventarono amici e cominciarono a frequentarsi quasi ogni giorno, visto che l'estate era appena agli inizi e nessuno dei due, quell'anno, avrebbe trascorso le vacanze al mare.

Le loro avventure ebbero inizio a causa del freddo e della pioggia. Sì, perché faceva così freddo e pioveva tanto, quell'estate, che Polly e Digory non poterono far altro che chiudersi in casa e dedicarsi a quelle che si potrebbero chiamare esplorazioni tra le pareti domestiche. È bellissimo giocare agli esploratori in una grande casa o in una schiera di case, con un mozzicone di candela in mano.

Qualche tempo prima Polly aveva scoperto che, aprendo una porticina che stava nel locale dei bauli, in soffitta, si arrivava al serbatoio dell'acqua e a un vano retrostante e buio, raggiungibile con una breve arrampicata. Questa zona era una specie di lungo cunicolo, delimitato da una parete di mattoni e dallo spiovente del tetto. Dal tetto, fra una tegola e l'altra, filtravano spiragli di luce.

Il cunicolo non era pavimentato e quindi bisognava spostarsi camminando di trave in trave e facendo attenzione a non mettere i piedi sullo strato di intonaco fra le travi, per non sfondare il soffitto e finire dritti dritti nella stanza di sotto. Polly aveva deciso di usare una piccola parte di quel luogo nascosto, proprio a fianco del serbatoio, per giocare all'antro dei contrabbandieri. Un po' per volta vi aveva portato vecchi scatoloni, i piani delle sedie della cucina rotte e altre cose di quel tipo, e li aveva sparsi a terra facendoli sembrare la parvenza di un pavimento. C'era anche una cassetta di ferro che conteneva alcuni tesori, il manoscritto di un racconto che Polly stava scrivendo e qualche mela. Di tanto in tanto le piaceva sorseggiare una gassosa, e le bottiglie vuote davano al suo angolo proprio l'aspetto di un covo di contrabbandieri.

Naturalmente Digory apprezzò molto il covo di Polly (che del racconto, è ovvio, non gli aveva rivelato niente), ma si dimostrò maggiormente interessato alle esplorazioni.

— Senti — le disse — quant'è lunga questa galleria? Arriva fino alla fine della tua casa?

— No, perché i muri divisori non arrivano al tetto. Prosegue senz'altro, ma non chiedermi quanto.

— Allora, visto che le case sono affiancate, forse la galleria percorre tutta la schiera.

— Potrebbe essere... Ehi! — esclamò Polly.

— Cosa c'è?

— Perché non esploriamo anche le altre case?

— E se ci prendono per ladri? No, grazie.

— Aspetta. Pensavo alla casa dopo la tua, quella abbandonata. Papà dice che è sempre stata vuota, da quando siamo venuti ad abitare qui.

— Allora credo proprio che dobbiamo darle un'occhiata — sentenziò Digory, cercando di mantenere la calma. In realtà era molto eccitato all'idea di esplorare la casa cui aveva accennato Polly, ma non lo dava a vedere perché era troppo impegnato a immaginare per quale motivo fosse vuota da tanto tempo. La stessa cosa valeva per Polly. Nessuno dei due osò pronunciare la parola "fantasma", e tutti e due sapevano bene che ormai non si sarebbero più tirati indietro.

— Che facciamo? Andiamo a dare un'occhiata subito? — chiese Digory.

— Per me va bene — rispose Polly.

— Ma se non te la senti...

— Se tu sei pronto, sono pronta anch'io.

— Come faremo a sapere di essere sbucati nella casa dopo la mia? — chiese Digory.

Decisero di rientrare nella stanza dei bauli e cominciarono a misurarla con passi lunghi all'incirca quanto la distanza fra una trave e l'altra: questo per avere un'idea di quante travi corrispondessero alla larghezza del locale. Raddoppiando il numero di travi così calcolato per comprendere l'altro locale della soffitta (la cameretta della cameriera), e aggiungendo quattro travi per il passaggio fra le due stanze, avrebbero ottenuto la larghezza complessiva della asa di Polly.

Percorrendo per due volte la distanza considerata, avrebbero raggiunto la fine della casa di Digory, e a quel punto qualsiasi porta avrebbe potuto condurli nella soffitta della casa abbandonata.

— Mi sembra strano che ci sia una casa disabitata… — disse Digory.

— A cosa pensi?

— Secondo me là dentro c'è qualcuno che vive in segreto ed esce soltanto di notte, con una lanterna cieca. Mi sa che scopriremo una banda di pericolosi criminali e avremo una ricompensa. È assurdo pensare che una casa come quella rimanga vuota per anni. Dev'esserci per forza qualcosa di losco.

– Papà pensa che sia per un problema di fognature — spiegò Polly.

– Puah! Gli adulti trovano sempre le spiegazioni più banali — ribatté Digory. Ora che parlavano in soffitta alla luce del sole, e non accovacciati nell'antro dei contrabbandieri al lume di candela, l'idea che la casa disabitata fosse infestata dai fantasmi sembrava molto meno credibile.

Quando ebbero finito di prendere le misure si munirono di carta e matita per calcolare la somma finale e a ognuno di loro venne fuori un risultato diverso Rifecero più volte i calcoli e alla fine credettero di aver trovato la soluzione, anche se io penso che quella somma non fosse proprio esatta. Ma i nostri ragazzi avevano fretta di iniziare la loro avventura.

— Non dobbiamo fare il minimo rumore — disse Polly, arrampicandosi dietro il serbatoio. E visto che si trattava di un'occasione straordinaria, presero una candela per ciascuno (Polly ne aveva una bella scorta, nel suo covo).

Il cunicolo era buio, polveroso e pieno di spifferi. I nostri eroi avanzarono di trave in trave senza parlare, a parte lo scambio di un paio di frasi bisbigliate: — Ecco, adesso ci troviamo dal lato opposto della tua soffitta. Dovremmo essere circa a metà della mia casa.

Proseguirono, badando bene a non inciampare e a mantenere accese le candele, fino a quando non arrivarono a una porticina nel muro di mattoni, proprio alla loro destra. Dato che la porta era stata fatta per essere aperta dall'esterno, cioè per entrare, non aveva la maniglia. C'era soltanto un gancio (come se ne trovano all'interno delle ante di certe credenze) che non pareva difficile girare.

— Allora, vado? — chiese Digory.

— Se tu sei pronto, sono pronta anch'io — disse Polly con le stesse parole che aveva usato prima. Tutti e due sapevano che la faccenda si faceva seria, ma ormai nessuno li avrebbe fermati. Digory riuscì ad alzare il gancio, se pure con un po' di difficoltà. La porta si aprì e per un attimo i due ragazzi furono abbagliati dall'improvvisa luce del giorno. Videro con sorpresa che la stanza in cui erano entrati era arredata, non vuota come avevano pensato, anche se i mobili non erano troppi. Vi aleggiava un silenzio quasi irreale, ma la curiosità prevalse sulla paura e Polly, una volta spenta la candela, entrò a passi felpati.

La stanza faceva parte delle soffitte, ma visto l'arredamento sembrava un salotto. Le pareti erano coperte di scaffali e ogni ripiano era stracolmo di libri. Il fuoco scoppiettava nel camino (ricorderete che era un'estate fredda e piovosa) e di fronte c'era una poltrona con lo schienale alto, girato verso i ragazzi. Fra la poltrona e Polly, a occupare quasi tutto il centro della stanza, c'era un ampio tavolo straripante di oggetti: libri ammonticchiati, pile di quaderni, bottiglie d'inchiostro, penne, bastoncini di ceralacca e perfino un microscopio. Ma l'attenzione di Polly fu attratta da un vassoio di legno rosso vivo che conteneva alcuni anelli. Anzi, a essere precisi, si trattava di coppie di anelli: uno giallo e uno verde, e a poca distanza ancora un anello giallo e uno verde. Le dimensioni erano quelle di un anello normale, ma avevano una lucentezza particolare, che non li faceva passare inosservati. Erano gli oggetti più belli e luminosi che si possano immaginare, e se Polly fosse stata più piccola li avrebbe messi sicuramente in bocca.

La stanza era così silenziosa che si poteva sentire il ticchettio dell'orologio a pendolo, ma Polly si rese conto che la quiete era interrotta da un ronzio sotterraneo. A quei tempi l'aspirapolvere non era stato inventato, altrimenti Polly avrebbe creduto che si trattasse appunto del ronzio d'un aspirapolvere, e che qualcuno lo stesse usando ai piani inferiori di una casa vicina. Ma a ben pensarci si trattava di un rumore più gradevole, più melodioso: solo, era così ovattato che si riusciva a percepirlo a fatica.

— Bene, qui non c'è nessuno — disse Polly voltandosi verso Digory, stavolta a voce più alta. E Digory venne avanti, guardandosi intorno tutto sporco – come Polly, del resto.

—Questa storia non mi piace. Questa casa non sembra per niente abbandonata. Meglio squagliarsela prima che arrivi qualcuno.

Secondo te questi cosa sono? — chiese Polly, indicando gli anelli sul vassoio rosso.

—Oh, Polly, prima ce ne andiamo…

Digory non riuscì a finire la frase, perché improvvisamente la poltrona che dava loro le spalle si spostò e ne emerse, come da una botola, una sorta di demone da pantomima che aveva le sembianze poco rassicuranti dello zio Andrew. Altro che soffitta abbandonata! Erano nella casa di Digory e quello, per l'esattezza, era lo studio proibito. Non appena si resero conto dell'errore madornale, i ragazzi rimasero a bocca aperta, soffocando un "oh!" di sorpresa: avrebbero dovuto capirlo che non erano andati avanti abbastanza...

Zio Andrew era un tipo alto e allampanato, con il viso lungo sempre ben rasato, il naso appuntito, gli occhi vispi e luminosi e una gran massa di capelli griġi.

Digory era senza parole, perché stavolta zio Andrew lo intimoriva più del solito. Per quanto riguarda Polly, all'inizio non si era molto impaurita, ma dopo qualche istante cominciò a tremare, perché lo zio si avviò alla porta della stanza, la chiuse e girò la chiave nella toppa; poi si voltò verso i ragazzi, li guardò con quei suoi occhi luminosi e sorrise, mostrando tutti i denti.

— Oh, ecco fatto — disse. — Così adesso quella matta di mia sorella non potrà acciuffarvi.

Un comportamento piuttosto strano da parte di un adulto, non vi sembra? Polly aveva il cuore in gola, e insieme a Digory tentò di arretrare verso la porticina dalla quale erano entrati, ma zio Andrew fu decisamente più svelto. In un attimo fu alle loro spalle, chiuse la porta e vi si piazzò davanti, poi cominciò a stropicciarsi le mani e a far crocchiare le dita. Erano belle dita lunghe, affusolate, bianchissime.

— Sono proprio contento che siate qui. Avevo giusto bisogno di due bambini.

— Per favore, signor Ketterly — lo implorò Polly — è quasi ora di pranzo e io devo andare a casa. Ci lasci andare, la prego.

— Oh, non adesso, mia cara, non adesso! Finalmente mi si è presentata la grande occasione e non posso sprecarla. Vedete, mi trovo nel bel mezzo di un esperimento di fondamentale importanza. Finora ho utilizzato i porcellini d'India e sembra che funzioni. Ma un porcellino d'India non può parlare e non posso spiegargli come fare a tornare indietro.

— Da' un'occhiata al pendolo, zio Andrew. Polly ha ragione, è ora di pranzo e fra poco cominceranno a cercarci. Devi lasciarci andare — protestò Digory.

— *Devo?* — fece lo zio.

Digory e Polly si lanciarono un'occhiata d'intesa. Non osarono pronunciare una sillaba, ma i loro sguardi dicevano: "Questo è tutto matto. Conviene assecondarlo."

— Se ci lascia andare adesso — disse Polly — possiamo tornare più tardi, dopo pranzo.

— E chi mi assicura che lo farete? — chiese zio Andrew con un sorriso furbetto. Ma subito dopo sembrò aver cambiato idea. — E va bene, se dovete proprio andare, andate pure. Del resto dovevo immaginarlo che due ragazzetti come voi si sarebbero annoiati a chiacchierare con un vecchio orso come me. — Lo zio sospirò e proseguì: — Oh, non potete certo immaginare come mi senta solo, a volte. Ma non vi preoccupate, andate pure a mangiare. Però voglio regalarvi qualcosa… Non capita tutti i giorni che una signorina venga a farmi visita in questo studio vecchio e tetro, e specialmente una signorina così graziosa, se me lo consente.

Polly cominciò a pensare che in definitiva lo zio non fosse così matto.

— Ti piacerebbe un anello, tesoro: — chiese zio Andrew a Polly.

— Sta parlando di uno di quegli anelli gialli e verdi? — domandò a sua volta Polly. — Oh, che meraviglia.

— Un anello verde — disse zio Andrew — non posso proprio dartelo, tesoro. Mi dispiace. Ma sarò felice di regalartene uno giallo. Vieni a provarne uno. Con tutto il mio affetto, piccina.

Adesso Polly non aveva più paura, perché era certa che l'anziano gentiluomo non fosse per niente pazzo. E poi c'era qualcosa di molto attraente, negli anelli che brillavano tanto. Polly si avvicinò al vassoio.

— Strano — esclamò. — Qui il ronzio è più forte. Sembra quasi che venga dagli anelli...

— Che buffa idea, cara — disse lo zio con una risata. Sembrava una risata naturale, distesa, ma Digory era certo di aver visto uno strano lampo brillargli negli occhi.

— Polly, attenta, non toccare gli anelli!

Troppo tardi. Digory non aveva finito la frase che Polly allungò la mano e ne toccò uno. Immediatamente, senza un lampo di luce, un rumore o un altro qualsiasi avvertimento, Polly scomparve. Digory e lo zio rimasero soli nella stanza.

Nulla di così improvviso e così orribile era mai capitato a Digory, neppure nel peggiore degli incubi. Il ragazzo gridò, ma subito la mano dello zio Andrew gli tappò la bocca. — Basta! — sibilò. — Se gridi tua madre ti sentirà e avrà un bello spavento. Non è il caso, ti pare? Sai quanto sia debole.

Come Digory raccontò in seguito, la meschinità di quel colpo basso gli diede quasi la nausea, ma naturalmente smise di gridare.

— Così va meglio — disse zio Andrew. — Sai, non posso biasimarti. È un brutto colpo vedere qualcuno che scompare, per lo meno la prima volta. Anch'io mi sono spaventato quando il porcellino d'India si è volatilizzato, l'altra sera.

— Per questo hai gridato?

— Ah, mi hai sentito? Non stavi spiando, per caso?

— Io non faccio cose del genere — rispose Digory, offeso. — Ma adesso spiegami cos'è successo a Polly.

— Vedi di farmi le congratulazioni, figliolo. L'esperimento è brillantemente riuscito. La tua giovane amica è scomparsa, svanita, non è più nel nostro mondo.

— Che cosa le hai fatto?

— Diciamo che l'ho mandata… in un altro posto.

— Cosa significa?

Zio Andrew si sedette e cominciò a parlare. — E va bene, ti racconterò tutto dall'inizio. Hai mai sentito parlare della vecchia signora Lefay?

— Non era per caso una prozia, o qualcosa del genere? — chiese Digory.

— Non proprio. La signora Lefay è stata la mia madrina. Ecco, guarda sulla parete. Quella è la signora Lefay.

Digory seguì l'indicazione dello zio e vide una vecchia fotografia ingiallita dal tempo. Si trattava di una donna anziana con una cuffietta in testa. Quel viso non gli era sconosciuto. Ma sì, certo, aveva già visto una foto della stessa persona in un vecchio cassetto di casa sua, in campagna. Aveva chiesto alla mamma chi fosse, ma lei non aveva gradito l'argomento e aveva tagliato corto. Dopotutto la signora non aveva una faccia simpatica, pensò Digory, anche se bisogna ammettere che le fotografie antiche non rendono giustizia.

— Faceva… faceva cose strane, zio Andrew?

— Dipende da cosa intendi per cose strane, ragazzo mio. Che vuoi, la gente è così limitata nei suoi giudizi… C'è da dire che in vecchiaia fece cose sempre più strane, oserei dire *sconsiderate*. Ed è per questo che la rinchiusero.

— Vuoi dire che la misero in manicomio?

— No, no, niente di tutto questo — disse zio Andrew, quasi scandalizzato. — La misero soltanto in prigione.

— Accidenti — esclamò Digory. — Ma cosa aveva fatto?

— Poveretta, aveva combinato dei piccoli... ehm, chiamiamoli guai. Ma ora non è il caso di parlarne, figliolo. Quello che voglio dirti, invece, è che la signora Lefay è sempre stata molto gentile con me.

— Va bene, ma cosa c'entra Polly in tutto questo? Vorrei tanto che tu...

— Ogni cosa a suo tempo, Digory. Dunque, poco prima che la signora Lefay morisse, la fecero uscire di prigione e io sono stato uno dei pochi a poterla frequentare negli ultimi giorni di vita. La signora Lefay non tollerava le persone ordinarie, ignoranti e senza fantasia. Anch'io, del resto. Avevamo gli stessi interessi. Poco prima di morire, mi pregò di andare ad aprire il cassetto segreto di una vecchia scrivania e di portarle la scatoletta che ci avrei trovato. Nel momento in cui l'ho presa fra le mani, ho capito che doveva trattarsi di qualcosa di segreto e speciale. La signora Lefay me la consegnò e mi fece promettere che subito dopo la sua morte l'avrei bruciata, dopo alcune cerimonie particolari. Ma io non ho mantenuto la promessa.

— Allora ti sei comportato in modo disgustoso — sentenziò Digory.

— E perché? — chiese lo zio, stupito. Poi continuò: — Ah, capisco, tu sei uno di quei bambini che pensano che si debba sempre mantenere la parola. Molto bene, figliolo, hai ragione, sono proprio contento che te lo abbiano insegnato. Però devi capire che queste sante regole vanno bene per i bambini, per la servitù, le donne e la maggioranza degli uomini... ma non possono essere seguite dai saggi e dai grandi pensatori. No, caro Digory, gli uomini come me, detentori del sapere più arcano e della sapienza, non possono seguire le regole comuni che guidano il mondo, così come non possono godere dei comuni piaceri della vita. Il nostro, ragazzo mio, è un destino superiore e solitario.

Dopo aver pronunciato queste parole, zio Andrew sospirò e rivolse a Digory uno sguardo così nobile e grave che per un attimo il ragazzo quasi si convinse della bontà del discorso. Ma subito dopo gli tornò alla mente l'espressione cattiva che si era dipinta sul volto dello zio un attimo prima che Polly sparisse e capì quale ne fosse il vero significato. "Ha fatto tutta questa scena" rifletté "perché è convinto di poter fare qualunque cosa, pur di raggiungere i suoi scopi."

— Naturalmente — proseguì zio Andrew — per molto tempo non ho osato aprire la scatola, perché ero sicuro che contenesse qualcosa di molto, molto pericoloso. Sapevo che la mia madrina era stata una donna diversa da tutte le altre: uno degli ultimi mortali di questa terra cui fosse dato di conoscere il segreto della magia. E la magia scorreva nel suo sangue. Lei stessa raccontava che, ai suoi tempi, c'erano solo altre due donne che possedevano poteri simili: una era una duchessa, l'altra una sguattera. E bada bene, Digory, in questo momento tu hai davanti l'ultimo uomo che abbia avuto come madrina una maga. Ecco qualcosa da raccontare quando sarai vecchio.

"Doveva essere una maga cattiva" pensò Digory, poi disse: — Zio Andrew, che ne è di Polly?

— Insisti ancora su questa storia, come se fosse questo l'importante! Allora, tornando a noi, la prima cosa che decisi di fare fu studiare attentamente la scatola magica. Si trattava di una scatola molto antica, e anche se allora me ne intendevo meno di adesso, capii che non era greca né babilonese, e neppure egizia, ittita o cinese. Era molto più antica. Ma alla fine riuscii a scoprire la sua vera origine: oh, figliolo, che gran giorno fu quello! La scatola proveniva da Atlantide, il mitico continente sommerso. Questo significava che il prezioso dono era più antico di qualsiasi reperto archeologico scoperto in Europa. Nonostante ciò, la scatola era finemente cesellata, perché già agli albori della storia Atlantide era una grande città, con templi e palazzi meravigliosi, abitata da uomini di sublime intelletto.

Zio Andrew tacque per un istante, quasi si aspettasse di essere interrotto da Digory. Ma più il tempo passava più Digory provava disgusto per lui, tanto da non avere proprio niente da dire.

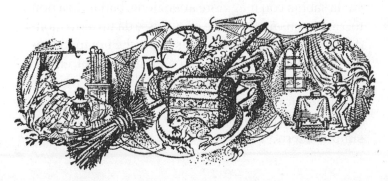

— Nel frattempo — proseguì lo zio — approfondii i miei studi sulla magia, ottenendo risultati eccellenti (non mi sembra il caso di entrare nei dettagli, visto che tu sei ancora un bambino). Questo per farti capire che, bene o male, mi ero fatto un'idea precisa del contenuto della scatola magica. Cominciai a restringere il campo delle possibilità e per approfondire i miei studi fui costretto a frequentare della gente... abbastanza sgradevole e pericolosa, il che mi creò seri problemi, soprattutto di salute. Ma che vuoi, non si diventa maghi senza pagare un prezzo. E così, dopo un periodo di grave crisi, la mia salute tornò a migliorare, fino a quando guarii del tutto. Fu allora che seppi.

Lo zio si chinò su Digory e gli sussurrò all'orecchio, come se avesse paura di essere ascoltato da qualcuno. Cosa impossibile, visto che non c'era anima viva.

— La scatola di Atlantide conteneva qualcosa che era stato portato da un altro mondo. Un mondo che esisté quando il nostro non era ancora nato.

— Cosa? — chiese Digory, affascinato, suo malgrado, dalle parole dello zio.

— Polvere, soltanto polvere. Una bella polverina fine e asciutta. Tutto qui? dirai tu. Ma quando osservai la sabbia con maggiore attenzione, badando a non toccarla, pensai subito che provenisse da un altro mondo. Non da un altro pianeta, sai, perché i pianeti fanno parte del nostro universo e un giorno potremmo anche raggiungerli. No, si trattava di un altro mondo, di una natura diversa, un cosmo differente. Un luogo che non potremmo raggiungere neppure se viaggiassimo in eterno attraverso lo spazio: un mondo, per farla breve, in cui si può andare solo con la magia.

A questo punto zio Andrew si fregò le mani fino a che le nocche schioccarono come mortaretti.

— Sapevo — proseguì — che se fossi riuscito a restituire alla polvere la sua forma originaria, mi avrebbe guidato al luogo da cui proveniva. Ma la cosa era difficile, molto difficile. I miei primi esperimenti fallirono e provai con i porcellini d'India. Alcuni morirono immediatamente, fulminati, altri esplosero come bombe…

— Che crudeltà — intervenne disgustato Digory. Conosceva bene i porcellini d'India, perché una volta ne aveva avuto uno.

— Ma come si fa a non capire, a essere così ottusi? — disse zio Andrew. — Quelle piccole creature non servono per gli esperimenti? E comunque erano miei, li avevo comprati. Ma fammi continuare: dove eravamo rimasti? Ah, sì, alla fine riuscii a formare gli anelli gialli. Subito si presentò una nuova difficoltà: avevo scoperto che l'anello giallo aveva il potere di portare nell'altro mondo le creature che lo toccavano. Ma a cosa mi sarebbe servito, se non fossi riuscito a farle tornare indietro per raccontarmi quello che avevano visto?

— E alle bestiole, ai porcellini d'India, non hai pensato? Chissà in che guai si trovano, se non possono tornare indietro.

— Ragazzo, tu hai il potere di considerare tutto dall'angolazione sbagliata — disse zio Andrew, sul punto di perdere la pazienza. — Ma non riesci a capire che si tratta di un esperimento grandioso? Io voglio mandare qualcuno in quell'altro luogo perché voglio scoprire com'è fatto.

— Perché non ci vai tu, allora?

Digory non aveva mai visto qualcuno tanto sorpreso e irritato per una semplice domanda.

— Io? Dovrei andarci io? — esclamò lo zio. — Questo ragazzino deve essere matto. Un uomo della mia età, nelle mie condizioni di salute, alle prese con i rischi e i pericoli di un tuffo repentino in un mondo diverso? Non ho mai sentito nulla di più assurdo in vita mia. Ti rendi conto di quello che hai detto? Ma lo sai cosa significa un altro mondo? Puoi incontrare chiunque, ti può accadere di tutto...

— Mi sembra di capire che ci hai spedito Polly — lo interruppe Digory. Aveva il viso rosso per la rabbia. —

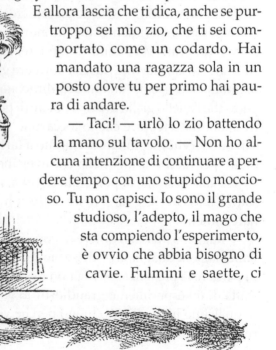

E allora lascia che ti dica, anche se purtroppo sei mio zio, che ti sei comportato come un codardo. Hai mandato una ragazza sola in un posto dove tu per primo hai paura di andare.

— Taci! — urlò lo zio battendo la mano sul tavolo. — Non ho alcuna intenzione di continuare a perdere tempo con uno stupido moccioso. Tu non capisci. Io sono il grande studioso, l'adepto, il mago che sta compiendo l'esperimento, è ovvio che abbia bisogno di cavie. Fulmini e saette, ci manca solo che mi accusi di non aver chiesto il permesso ai porcellini d'India, prima di servirmi di loro! Ascolta, caro Digory, tutto ciò che è grande si raggiunge con il sacrificio. Ma per quanto riguarda un mio eventuale viaggio nell'altro mondo... oh, che cosa ridicola, non voglio neppure sentirne parlare. Come se un generale dovesse combattere come un soldato semplice! Se io fossi ucciso, chi porterebbe avanti il lavoro di tutta una vita?

— Smettila — esclamò Digory. — E dimmi, piuttosto, se hai intenzione di riportare Polly fra noi.

— Stavo proprio per dirti, prima di essere interrotto, che finalmente sono riuscito a trovare il modo per tornare indietro. Servono gli anelli verdi.

— Ma Polly non ha un anello verde.

— Eh, già — disse zio Andrew con un sorriso cattivo.

— Ma allora non può tornare a casa! — gridò il ragazzo.

— È come se tu l'avessi uccisa... uccisa, capisci?

— Potrà tornare solo se qualcuno la raggiungerà nell'altro mondo portando un anello giallo e due anelli verdi, uno per ciascuno.

Digory si rese finalmente conto della trappola in cui era caduto. Fissò zio Andrew con la bocca spalancata, senza dire una parola, pallido in volto.

— Voglio sperare — disse lo zio in tono alto e solenne, perfettamente calato nella parte del parente modello che ha appena impartito al nipote saggi e buoni consigli — voglio sperare che tu non alzi bandiera bianca, caro Digory. Mi rattristerebbe alquanto scoprire che un membro della nostra famiglia non ha abbastanza senso dell'onore e della cavalleria da affrontare l'ignoto per salvare... ehm, una donzella in pericolo.

— Oh, sta' zitto! — esclamò Digory. — Dovresti andarci tu, se avessi senso dell'onore e tutto il resto. Ma non ne hai, lo so, quindi devo andarci io. Però sei un mostro: sono certo che avevi già progettato di far scomparire la povera Polly e di mandare me a cercarla.

— Naturalmente — disse lo zio con un sorriso orribile.

— E va bene, ci vado, ma prima voglio dirti una cosa. Finora non avevo mai creduto nella magia: adesso ho cambiato idea, quindi penso che siano più o meno vere le fiabe che ne parlano. Tu sei solo un mago cattivo e crudele, come ce ne sono nelle fiabe. Be', in tutte le storie che ho letto lo stregone fa sempre una brutta fine. E così sarà per te.

Di tutte le cose che Digory aveva detto allo zio, questa sicuramente fu la prima a colpire nel segno. Zio Andrew trasalì e sul suo volto si dipinse un'espressione di orrore tale da indurre quasi a provare pena per lui, anche se si era comportato in modo crudele. Ma dopo un istante si era già ripreso e con una risatina forzata cercò di darsi un contegno.

— Bene, bene, suppongo che tutti i bambini cresciuti in mezzo alle donne pensino le cose che hai appena detto. Si tratta di stupidaggini uscite dalla bocca di qualche vecchia comare, no? Be', caro Digory, non devi preoccuparti per la mia incolumità. Forse faresti meglio a pensare ai pericoli che può correre la tua giovane amica. Polly è lontana già da qualche tempo, e se nell'altro mondo dovessero esserci veramente dei pericoli... non vorrei che tu arrivassi tardi.

— Ma come sei gentile, zio Andrew — disse il ragazzo in tono sprezzante. — Ora sono stufo di queste prediche: dimmi cosa devo fare.

— Se posso darti un consiglio, devi imparare a controllarti — rispose freddamente lo zio. — Altrimenti assomiglierai sempre più a zia Letty. Dunque, ascolta bene. Zio Andrew infilò un paio di guanti e si diresse verso il vassoio che conteneva gli anelli.

— L'effetto si sprigiona al contatto con la pelle. Io porto i guanti e quindi, ecco qua, posso toccarli senza correre alcun rischio. Se ne porti uno in tasca, non succede nulla. Attento però a non mettere la mano in tasca, altrimenti... appena tocchi l'anello giallo, puff, sparisci, ti volatilizzi. Dopo essere arrivato nell'altro mondo, dovresti ricomparire in questo toccando l'anello verde. Dico dovresti perché in effetti il rientro non l'ho ancora sperimentato. Ecco, adesso prendo due anelli verdi e te li metto nella tasca destra della giacca. Mi raccomando, non dimenticare in quale tasca si trovano, uno per te e uno per la tua piccola amica. Adesso prendi l'anello giallo. Se fossi in te lo metterei subito al dito. Non vorrei rischiare di perderlo.

Digory era sul punto di prendere l'anello giallo quando improvvisamente si tirò indietro.

— E la mamma? Se dovesse chiedere dove mi trovo?

— Prima parti, prima torni — lo canzonò allegramente zio Andrew.

— Ma tu non sai se potrò tornare.

Lo zio scrollò le spalle, andò alla porta, tolse il chiavistello e disse: — E va bene, come vuoi tu, figliolo. Eccoti accontentato. Vai pure giù, ti aspettano per pranzo. Lascia che la tua piccola amica sia divorata dagli animali feroci o che muoia di fame nell'altro mondo. Nella migliore delle ipotesi, si perderà per sempre. Se è questo che vuoi... Per me fa lo stesso, sappilo. Forse, però, prima dell'ora del tè dovresti fare una capatina dalla signora Plummer per spiegarle che non vedrà mai più sua figlia perché tu non hai avuto il coraggio di infilare un anello.

— Pazzo! — esclamò Digory. — Vorrei essere abbastanza grande da prenderti a pugni!

Digory si abbottonò la giacca, respirò a fondo e prese l'anello. Del resto, cos'altro avrebbe potuto fare?

LA FORESTA DI MEZZO

Lo studio e zio Andrew scomparvero all'istante, poi per un attimo tutto divenne tranquillo e ovattato. La prima cosa che Digory notò fu una luce verde e tenue che filtrava sopra di lui, mentre in basso tutto era avvolto nelle tenebre. Non gli pareva di essere in piedi e neppure seduto o disteso: nessuna superficie lo sosteneva. "Forse mi trovo in acqua" pensò Digory. "Oppure sotto." Rabbrividì dalla paura, ma subito dopo sentì che qualcosa lo spingeva in alto e all'improvviso sbucò all'aria aperta, dove si arrampicò per la riva erbosa di uno stagno.

Si alzò in piedi e si rese conto di non gocciolare e di non avere l'affanno, cosa comune a chi, sott'acqua, deve trattenere il respiro. I vestiti erano perfettamente asciutti. Si guardò intorno, incuriosito: si trovava sulla riva di una pozza di circa tre metri di diametro, in mezzo a una foresta. Gli alberi erano fitti e frondosi, tanto da oscurare la vista del cielo. Attraverso le foglie filtrava soltanto una luce verde, ma Digory pensò che al di sopra degli alberi il sole dovesse brillare in tutta la sua potenza, visto che la luce verde era viva e calda.

Era la foresta più silenziosa che si potesse immaginare. Non c'erano uccelli, insetti o altri animali e non soffiava un alito di vento. Si potevano sentire gli alberi che crescevano, pensate! Guardandosi intorno, Digory notò che lo stagno dal quale era emerso non era l'unico della foresta. Ce n'erano a dozzine, uno a pochi metri di distanza dall'altro, a perdita d'occhio, e si sentivano addirittura gli alberi che si abbeveravano con le radici. Insomma, Digory ebbe l'impressione di trovarsi in una foresta vivente. In seguito, ogni volta che ebbe occasione di parlarne, disse sempre: «Oh, era un posto così ricco. Quasi come un dolce con i canditi e l'uvetta.»

Ma la cosa più strana di tutte era che Digory aveva un'idea vaga di quanto fosse accaduto. Insomma, non ricordava come fosse arrivato fin lì. Non pensava a Polly, allo zio Andrew e neppure alla sua mamma; non era spaventato, eccitato o incuriosito. Se qualcuno gli avesse chiesto: "Salve, da dove vieni?" con molta probabilità Digory avrebbe risposto: "Sono sempre stato qui."

Questo era il suo stato d'animo. In quel luogo si sentiva in pace e di casa, anche se non fosse successo nulla. In seguito precisò: «È un posto dove le cose non accadono. Si sentono solo crescere gli alberi, tutto qua.»

Era già da un po' che Digory si guardava intorno quando notò una ragazzina che sedeva ai piedi di un albero, a pochi metri da lui. Aveva gli occhi socchiusi, come nel dormiveglia. La osservò a lungo, senza dire una parola; finalmente la ragazzina aprì gli occhi e lo guardò, anche lei a lungo e senza parole. Quando cominciò a parlare, aveva un tono sognante.

— Mi sembra di averti già visto — disse.

— Anche a me sembra di averti già vista. Da quanto tempo sei qui? — chiese Digory.

— Da sempre — rispose lei — o per lo meno da molto, molto tempo.

— Anch'io — intervenne Digory.

— No — lo contraddisse la ragazzina. — Ti ho appena visto spuntar fuori dallo stagno.

— Mmm, sì, forse hai ragione — ribatté Digory, confuso. — Lo avevo dimenticato…

Tacquero entrambi, a lungo.

— Mi domando se non ci siamo già incontrati davvero — disse infine la ragazzina. — È come se nella mia mente ci fosse un'immagine lontana. Un bambino e una bambina, proprio come noi, che vivono in un posto diverso e fanno molte cose insieme. Ma deve trattarsi solo di un sogno.

— Allora anch'io ho fatto quel sogno — intervenne Digory. — Ci sono un bambino e una bambina che abitano vicino. Ci sono delle travi, o qualcosa del genere. La bambina ha la faccia sporca…

— Non stai facendo confusione, per caso? Nel mio sogno è il bambino che ha la faccia sporca.

— Non riesco a ricordare il viso del bambino — disse Digory. Poi subito dopo esclamò, sorpreso: — Guarda! Cos'è quello?

— È un porcellino d'India! — rispose la ragazza. Davanti a loro, un animaletto si aggirava nell'erba. Era bello grasso, e intorno ai fianchi aveva un nastro a cui era legato un anello giallo che brillava moltissimo.

— Ehi, guarda — gridò Digory. — Un anello. Come quello che porti tu al dito. E anch'io…

La bambina si alzò in piedi, incuriosita sul serio da quello che accadeva. Lei e Digory si guardarono a lungo, cercando di ricordare. Finalmente esclamarono, quasi all'unisono: — Il signor Ketterly!

— Zio Andrew!

A quel punto cominciarono a ricordare chi fossero e a ricostruire i tasselli della storia. Dopo qualche minu-

to di discussione accesa, con la spiegazione, da parte di Digory, del comportamento inqualificabile di zio Andrew, il quadro della situazione fu chiaro.

— E adesso cosa facciamo? Ce ne torniamo a casa con il porcellino d'India?

— Oh, non c'è fretta — rispose Digory con un grosso sbadiglio.

— E invece sì, eccome. Questo posto è troppo tranquillo, come se ci trovassimo dentro un sogno. Tu sembri quasi addormentato e ho paura che se ci lasciamo andare rimarremo a sonnecchiare qui per sempre.

— A me piace, si sta bene — disse Digory.

— Sì, hai ragione. Però dobbiamo tornare a casa — insistette Polly. Si avvicinò al porcellino d'India, decisa a prenderlo con sé, ma poi cambiò idea. — Meglio lasciarlo qui, non ti sembra? È felice in questo posto, e poi se penso a quello che potrebbe fargli tuo zio, una volta tornato a casa…

— Hai perfettamente ragione — rispose Digory. — Guarda come si è comportato con noi. A proposito: come facciamo per tornarcene a casa?

— Dobbiamo tuffarci nello stagno. Almeno credo — disse Polly.

Andarono allo specchio d'acqua e si fermarono proprio sulla sponda, fissando la superficie immobile. L'acqua rifletteva il verde del fogliame e perciò sembrava più profonda.

— Ma non abbiamo il costume da bagno — fece notare Polly.

— Non ne abbiamo bisogno, sciocca — ribatté Digory. — Ci tuffiamo con i panni che abbiamo addosso. Non ricordi che non ci siamo bagnati nemmeno un po', quando siamo venuti qui?

— Tu sai nuotare?

— Abbastanza. E tu?

— Be', in verità… non molto bene.

— Non credo che ci sia bisogno di nuotare — disse Digory.

— Allora ci tuffiamo, d'accordo?

In realtà a nessuno dei due piaceva molto l'idea di balzare nello stagno, ma sia Digory che Polly non l'avrebbero mai ammesso. Fu così che si presero per mano, contando: — Uno, due, tre, via! — e saltarono. Ci fu un grosso tonfo e i ragazzi, come c'è da immaginarsi, chiusero gli occhi per non vedere. Ma quando li riaprirono scoprirono di essere ancora lì, nella foresta, mano nella mano, con l'acqua che arrivava loro appena alle caviglie; sembrava che lo stagno fosse profondo solo pochi centimetri. Polly e Digory saltarono di nuovo sulla terra asciutta.

— Perché non ce l'abbiamo fatta? — chiese Polly con voce tremante, ma non così tremante come ci si sarebbe potuti aspettare. Nella foresta era quasi impossibile essere spaventati. Quel luogo era così tranquillo…

— Ma certo! — esclamò Digory. — Per forza non ha funzionato. Abbiamo ancora al dito gli anelli gialli, quelli che servono per entrare in questo mondo; per tornare a casa servono i verdi. Dobbiamo scambiare gli anelli. Ci sono delle tasche nel tuo vestito? Bene, allora sfila l'anello giallo e mettilo nella tasca sinistra. Io ho con me gli anelli verdi. Ecco, uno a me e uno a te.

Infilarono al dito l'anello verde e tornarono in prossimità dello stagno. Erano pronti a tuffarsi di nuovo, quando Digory lanciò una lunga esclamazione.

— E adesso che succede? — chiese Polly.

— Ho avuto un'idea geniale — rispose Digory. — Secondo te, a cosa servono gli altri stagni?

— Non capisco.

— Stai bene attenta. Se per tornare nel nostro mondo basta saltare in questo stagno, non pensi che potremmo andare da qualche altra parte, con un tuffo negli altri? Magari in fondo a ogni stagno c'è un mondo diverso.

— Ma io credevo di essere già arrivata in quello che tuo zio Andrew chiama l'Altro Mondo, l'Altro Luogo o come cavolo si dice. Non avevi detto che…

— Lascia perdere zio Andrew, per favore — la interruppe Digory. — Secondo me lui non sa niente di questo posto per il semplice fatto che non c'è mai venuto di persona. Parla di un generico altro mondo, ma se ce ne fossero a dozzine?

— Vuoi dire che il posto dove siamo adesso potrebbe essere uno di questi?

— No, secondo me la foresta non è un altro mondo. Credo che sia un luogo di transito. Sta in mezzo, come una specie di sala d'attesa, insomma.

Polly lo guardava stupita.

— Non è chiaro? Attenta, allora. Pensa alla galleria sotto il tetto, a casa. Non diventa mai una stanza, in nessuna delle case che attraversa. Non fa parte di nessuna casa, però le collega tutte e ti permette di raggiungerle. Lo stesso vale per la foresta. È un luogo che non appartiene a nessun mondo, ma una volta arrivata qui puoi raggiungerli tutti.

— Va bene, anche se potessimo... — cominciò Polly, ma Digory proseguì nel discorso, incurante delle sue parole.

— Naturalmente, questo spiega ogni cosa — decretò. — Ecco perché qui è tutto così tranquillo e in pace. In questo posto non avviene mai nulla, è come se tutto dormisse. Pensa: è nelle case che le persone mangiano, parlano, fanno delle cose. Nei luoghi che stanno in mezzo, invece, questo non succede. Non c'è vita dietro le pareti, sopra il soffitto o sotto il pavimento. Non c'è vita neanche nella nostra galleria, ma quando la lasci ti puoi trovare in una casa qualsiasi. Ecco, credo che da questo posto possiamo arrivare in un altro mondo. Non abbiamo bisogno di saltare dentro lo stagno da cui siamo venuti. Non subito, almeno.

— La Foresta di Mezzo — sussurrò Polly, con aria sognante.

— Mi piace, come nome.

— Avanti, allora. Quale stagno scegliamo?

— Senti un po' — disse la ragazza — io non ho intenzione di sperimentare un nuovo stagno se prima non sono sicura che si possa tornare a casa con un tuffo in quello vecchio. Non sappiamo neanche se funziona.

— Tornare a casa? Così zio Andrew ci riacciuffa e ci toglie l'anello magico prima che ci siamo divertiti un po'? No, grazie.

— Potremmo provare a saltare nel vecchio stagno e fare soltanto un po' di strada verso casa. Giusto per vedere se la cosa funziona. E se funziona potremmo cambiare gli anelli e tornare indietro prima di raggiungere lo studio di tuo zio.

— E pensi che ce la faremo a tornare indietro solo per un tratto?

— Be', c'è voluto un po' di tempo per salire fino a qui, e ce ne vorrà un po' anche in direzione opposta...

A Digory non piacevano affatto le condizioni poste da Polly, ma alla fine non poté far altro che accettarle, visto che la bambina si rifiutava categoricamente di esplorare nuovi mondi senza avere prima l'assoluta certezza di poter tornare nel vecchio. Come Digory, Polly era capace di affrontare qualsiasi pericolo e qualsiasi difficoltà, ma a lei non interessava andare alla ricerca di cose di cui nessuno aveva mai sentito parlare. Digory invece era diverso: voleva sempre sapere e conoscere tutto; non per nulla, da grande divenne il famoso professor Kirke, citato in numerosi libri.

Dopo una lunga discussione, Polly e Digory decisero che avrebbero infilato al dito gli anelli verdi («Ricorda, quello verde è l'anello che ti porterà in salvo» disse Digory) e che, tenendosi per mano, sarebbero saltati nello stagno. Non appena si fossero resi conto di essere nelle vicinanze dello studio di zio Andrew, e quindi di nuovo nel loro mondo, Polly avrebbe dovuto gridare: cambio! Avrebbero sfilato gli anelli verdi e indossato immediatamente quelli gialli.

A dire il vero Digory avrebbe voluto essere lui a gridare, ma Polly non si era mostrata dello stesso avviso.

Misero l'anello verde al dito, si presero per mano e gridarono ancora una volta: — Uno, due, tre, via! — Questa volta funzionò. È difficile spiegare che cosa abbiano provato i nostri due amici, perché tutto avvenne in un batter d'occhio. All'inizio videro luci molto luminose solcare il cielo buio. In seguito Digory precisò che si trattava di stelle e giurò di aver visto Giove così vicino, ma così vicino da poter distinguere perfino le sue lune. Poi, come dal nulla, comparvero file e file di tetti e di comignoli. Riconobbero la cattedrale di San Paolo e si resero conto di essere a Londra. Riuscivano a vedere addirittura attraverso le pareti delle case. Scorsero zio Andrew: la sua immagine era poco chiara e leggermente offuscata, ma a mano a mano che si avvicinavano diventò più nitida, come se fossero riusciti a metterla a fuoco. Prima di toccare lo zio in carne e ossa, Polly gridò: — Cambio! — Come in un sogno, il nostro mondo scomparve e la luce verde sopra di loro divenne sempre più forte, fino a che con la testa non sbucarono dall'acqua, per ritrovarsi su una riva erbosa.

Intorno a loro c'era la foresta verde, luminosa e tranquilla come sempre. Tutto era durato meno di un minuto.

— Evviva, ce l'abbiamo fatta — esclamò Digory. — E adesso sei pronta? Vieni, ci va bene qualsiasi stagno. Proviamo con quello.

— Fermo — intimò Polly. — Non è meglio mettere un segno accanto al vecchio stagno?

Si guardarono e rabbrividirono all'idea di quello che Digory stava per combinare. Nella foresta c'era un'infinità di stagni tutti uguali e anche gli alberi erano uguali: se si fossero allontanati dal loro senza lasciare un segno di riconoscimento, avrebbero avuto una probabilità su cento di ritrovarlo. La mano di Digory tremò mentre apriva il temperino e tagliava una lunga zolla erbosa sulla riva dello stagno. Il terreno (che aveva un buon odore) era di un bel marrone tendente al rosso che ben si combinava con il verde della foresta.

— Fortuna che c'è almeno una persona di buon senso, qui — disse Polly.

— Avanti, non perdiamo tempo con le chiacchiere. Voglio vedere cosa c'è negli altri stagni. — Ma Polly rispose in modo polemico e Digory si rivolse a lei in maniera non proprio carina.

La discussione andò avanti ancora per qualche minuto, ma non vale la pena raccontarvela nei dettagli. Riprenderemo la nostra storia dal momento in cui Polly e Digory, con il cuore che batteva forte e la faccia bianca come un lenzuolo, raggiunsero la riva di un nuovo stagno e tenendosi per mano contarono: — Uno, due, tre, via.

Splash! Ancora una volta qualcosa non aveva funzionato e lo stagno si comportò come poco più che una pozzanghera. Invece di raggiungere un nuovo mondo, Polly e Digory si erano bagnati i piedi e le gambe per la seconda volta quella mattina (ammesso che fosse mattina: il tempo sembrava non trascorrere mai, nella Foresta di Mezzo).

— Fulmini e saette — esclamò Digory. — Si può sapere dove abbiamo sbagliato, stavolta? Abbiamo infilato l'anello giallo nella mano destra. Lo zio aveva detto che il giallo serve a partire, no?

Il fatto è che zio Andrew, il quale nemmeno immaginava l'esistenza della Foresta di Mezzo, aveva un'idea sbagliata sulla funzione degli anelli. Infatti, il giallo non aveva il potere di "allontanare", e quello verde non aveva il potere di "ricondurre a casa". Entrambi erano fatti con materiale proveniente dalla foresta: il materiale degli anelli gialli aveva il potere di ricondurre alla foresta perché era una sostanza che aspirava a tornare nel luogo di origine, a casa insomma. Al contrario, il materiale degli anelli verdi voleva allontanarsene. Per questo gli anelli verdi avevano il potere di portare fuori dalla foresta chiunque li indossasse, per guidarlo verso un altro mondo. Zio Andrew lavorava con oggetti che in realtà non conosceva, come quasi tutti i maghi. Per quanto riguarda Digory, anche lui non ebbe subito chiaro il meccanismo; ma i due ragazzi, dopo aver molto discusso, decisero di infilare al dito l'anello verde e di saltare nel nuovo stagno, giusto per vedere cosa sarebbe successo.

— Sono pronta, se tu sei pronto — disse Polly. Non aveva paura perché, nel profondo del suo cuore, era sicura che nessuno degli anelli avrebbe funzionato in un altro stagno, e quindi non c'era nulla da temere, eccetto un altro tonfo. E forse anche Digory la pensava come lei. Comunque, subito dopo aver infilato gli anelli verdi, raggiunsero lo stagno e, mano nella mano, contarono: — Uno, due, tre, via! — Stavolta, però, in tono molto meno solenne e cerimonioso.

Magia. Quella era la chiave di tutto. Stavolta Polly e Digory non ebbero alcun dubbio mentre scendevano sempre più giù, avvolti dalle tenebre prima e sfiorando poi una massa di ombre dai contorni vaghi e informi che avrebbero potuto essere tutto e nulla. La luce si fece più forte. All'improvviso si accorsero di essere in piedi su qualcosa di solido. Un momento più tardi tutto divenne più nitido e finalmente riuscirono a vedersi.

— Che strano posto — disse Digory.

— Non mi piace per niente — aggiunse Polly, scuotendo la testa.

La prima cosa che notarono fu la luce. Non assomigliava alla luce del sole e neppure a quella delle lampade a olio o delle candele. Non assomigliava a nessuna luce che conoscessero. Era smorta, quasi rossastra per nulla calda e accogliente: ed era fissa, senza oscillazioni. Polly e Digory stavano in piedi, su una superficie piatta e pavimentata. Si trovavano in una sorta di cortile e intorno a loro sorgeva un palazzo.

Il cielo era straordinariamente scuro, di un blu molto vicino al nero. Alla vista di un cielo simile si era portati a domandarsi se la luce esistesse davvero.

— Mmm, davvero un tempo strano, da queste parti. Potrebbe scatenarsi un temporale o magari assisteremo a un'eclisse.

— Questo posto non mi piace — ribadì Polly.

Parlavano tutti e due a bassa voce, senza rendersene conto. E continuavano a tenersi per mano, sebbene non ce ne fosse più bisogno, visto che ormai erano arrivati a destinazione.

Il cortile che li ospitava era circondato da muri altissimi in cui si aprivano molte grandi finestre prive di vetri, attraverso le quali non si distingueva nient'altro che l'oscurità. In basso si vedevano ampie arcate spalancate sul buio più totale, simili all'imbocco delle gallerie percorse dai treni. Faceva piuttosto freddo.

L'edificio sembrava di pietra vagamente rossastra ma forse era solo un effetto ottico dovuto alla luce così strana. Comunque, doveva essere antichissimo: molte delle lastre che pavimentavano il cortile erano spezzate e tutte erano sconnesse, con gli angoli vistosamente corrosi. Uno dei grandi portali ad arco era ingombro di macerie.

I bambini si guardarono intorno continuando a girare su se stessi, per paura che qualcuno, dalle finestre, li spiasse mentre erano voltati di schiena.

— Credi che ci abiti qualcuno? — chiese Digory, con un sussurro.

— No, non credo. È tutto in rovina, e poi da quando siamo arrivati non abbiamo sentito neanche un rumore.

— Stiamo fermi e in silenzio per un po' — suggerì Digory.

Rimasero fermi e in silenzio, ma tutto quello che poterono sentire fu il battito dei loro cuori. Quel posto era ancora più silenzioso della Foresta di Mezzo, anche se si trattava di una quiete diversa, come osservarono poi. Il silenzio della foresta era intenso, caldo, accogliente (ricordate? Si potevano sentire gli alberi mentre crescevano). Era un silenzio pieno di vita, ecco tutto.

Questo, al contrario, era un silenzio vuoto e gelido come la morte, e la prima cosa che veniva in mente era che non sarebbe mai potuto crescervi qualcosa.

— Torniamo a casa — disse Polly.

— Ma non abbiamo ancora visto nulla — protestò lui.

— Dal momento che siamo qui, diamo almeno un'occhiata in giro.

— Sono sicura che non c'è nulla di interessante.

— A cosa serve avere un anello magico che ti porta in altri mondi, se una volta che li hai raggiunti hai paura di visitarli?

— Chi ha detto che ho paura? — fece Polly, lasciandogli la mano.

— Volevo semplicemente dire che non mi sembri molto convinta di esplorare questo posto, ecco tutto

— Io vado dovunque vai tu.

— Possiamo andarcene quando vogliamo, nessuno

ci trattiene — concluse Digory. — Togliamoci l'anello verde e mettiamolo nella tasca di destra. A questo punto l'unica cosa da fare è ricordarsi che l'anello giallo è invece nella tasca sinistra. Puoi tenere la mano sulla tasca, se questo ti fa sentire più sicura, ma non infilarla dentro, altrimenti toccherai l'anello giallo e sparirai.

Fecero come Digory aveva suggerito e si incamminarono verso uno dei grandi archi che portavano dentro il palazzo. Quando si trovarono sulla soglia del grande edificio, scoprirono con sorpresa che il suo interno non era buio come avevano pensato. Arrivarono a una grande sala in penombra che in un primo momento sembrò completamente vuota e videro che a un'estremità c'era una fila di colonne che sostenevano degli archi: appena più intensa, vi filtrava la stessa luce strana. Polly e Digory attraversarono la sala facendo attenzione a eventuali buche e ostacoli sul pavimento che avrebbero potuto calpestare inavvertitamente, facendosi male. Ai due ragazzi sembrò di camminare a lungo; quando furono arrivati dall'altra parte della sala, oltrepassarono gli archi e scoprirono di essere in un cortile ancora più grande del precedente.

— Questo posto non mi sembra sicuro. — Polly indicava una parete curva in avanti che pareva destinata a cadere da un momento all'altro nel cortile. Poco lontano mancava la colonna fra due archi, così che la parte che avrebbe dovuto sostenere pendeva sul nulla. Senza dubbio quel luogo doveva essere abbandonato da centinaia di anni, forse migliaia.

— Se è durato fino adesso, credo che almeno per un altro po' possa resistere — disse Digory. — Ma dobbia-

mo essere molto prudenti. Anche un semplice rumore potrebbe provocare un crollo, come succede sulle Alpi con le valanghe.

Dal cortile attraversarono un altro portale. Salirono una lunga rampa di scale e passarono in saloni vastissimi che si schiudevano uno dopo l'altro, lasciando i nostri eroi a bocca aperta davanti all'immensità degli spazi. Di tanto in tanto Polly e Digory pensavano che presto sarebbero sbucati all'aria aperta, curiosi di conoscere i dintorni dell'enorme palazzo. Niente da fare: anche i cortili si succedevano uno dopo l'altro.

I due ragazzi pensarono che il castello dovesse essere magnifico, quando era ancora abitato. In uno dei grandi cortili c'era quella che era stata una fontana. Un'enorme scultura raffigurante un mostro con le ali

spiegate si ergeva a fauci spalancate, e in fondo all'apertura della bocca si poteva scorgere un tubicino da cui un tempo scaturiva l'acqua. Al di sotto, un'ampia vasca di pietra era servita a raccoglierla (naturalmente, adesso era secca come il deserto). Più in là pendevano i rami rinsecchiti di quelle che dovevano essere state piante rampicanti: si erano attorcigliate intorno alle colonne e in qualche caso ne avevano provocato il crollo, ma ormai erano morte da tempo. Non c'erano formiche, non c'erano ragni né alcuna traccia degli insetti che generalmente si nascondono tra le rovine, e sulla terra arida che s'intravedeva sotto il selciato non cresceva un filo d'erba né un ciuffo di muschio.

Tutto era così piatto e desolato che Digory pensò a quanto sarebbe stato meglio infilare gli anelli gialli e tornare nella Foresta di Mezzo, verde, calda, luminosa e accogliente. Ma improvvisamente si trovarono di fronte a due enormi porte di un metallo simile all'oro: anzi, forse era proprio oro. Una era socchiusa e i due ragazzi la attraversarono.

Davanti alla scena che si presentò ai loro occhi, indietreggiarono e trattennero il respiro, paralizzati dalla meraviglia.

Per un attimo pensarono che la stanza fosse piena di gente, centinaia di persone sedute e perfettamente immobili. Come potete immaginare, anche Polly e Digory rimasero immobili per un po', incantati da quella vista. Poi decisero che non potevano essere persone vere: non si muovevano, non facevano il minimo rumore, addirittura non respiravano; erano le più belle statue di cera che i due ragazzi avessero mai visto.

Questa volta fu Polly a prendere l'iniziativa. Nella stanza c'era qualcosa che suscitava in lei maggiore interesse che non in Digory: le statue indossavano abiti magnifici. Quando un abito piace bisogna vederlo da vicino, no? Dopo il vuoto interminabile di sale polverose che i ragazzi avevano attraversato prima, lo splendore dei bei vestiti conferiva al salone un aspetto ricco e maestoso.

È difficile dire come fossero fatti. Le sagome erano sedute, avvolte in lunghe vesti e avevano tutte una co-

rona in testa. Le vesti erano color cremisi, grigio argento, porpora e verde acceso, con splendidi ricami a motivi floreali o con disegni di strani animali. Pietre preziose enormi e luminosissime erano incastonate nelle corone e nelle catene che portavano al collo, e spuntavano ovunque ci fosse un fermaglio.

— Perché i vestiti non si sono rovinati? — chiese Polly.

— È un incantesimo, non te ne sei accorta? Scommetto che tutto il salone è incantato. Ho avuto questa sensazione appena siamo entrati.

— Ognuno di quei vestiti costerà centinaia e centinaia di sterline — disse Polly.

Ma a Digory interessavano più le facce degli abiti sontuosi, e bisogna dire che non aveva tutti i torti. Le "persone" sedevano nei troni di pietra lungo ciascun lato della sala, mentre il centro era completamente libero. Ci si poteva avvicinare e passare davanti alle facce studiandole una per una.

— Dovevano essere persone affascinanti! — esclamò Digory.

Polly annuì: i volti sembravano davvero attraenti, come aveva detto Digory. Sia gli uomini che le donne avevano un'espressione saggia e gentile e Polly pensò che appartenessero a una razza molto bella.

Ma quando i due ragazzi si spostarono lungo la fila, scoprirono lineamenti anche molto diversi. Alcuni avevano un'espressione solenne e maestosa che incuteva timore: quando capita di incontrare tipi così, è meglio girare alla larga. Polly e Digory proseguirono: adesso i volti erano forti, fieri e felici ma crudeli. A mano a mano che i due procedevano, l'espressione dipinta sulle facce immobili si faceva sempre più cattiva e meno felice, fino a diventare infelicissima e anzi, disperata. Era come se quella gente avesse commesso, e insieme sofferto, orribili misfatti. L'ultima statua era senza dubbio la più interessante. Raffigurava una donna avvolta nell'abito più bello e ricco di tutti, molto alta (tutte le statue erano più alte di un uomo e una donna del nostro mondo) e con uno sguardo così fiero e orgoglioso da togliere il fiato. Era anche molto, molto bella. Parecchi anni dopo, quando si incamminò sul sentiero della vecchiaia, Digory raccontò di non aver mai visto una donna così bella in tutta la vita. Mi sembra superfluo aggiungere che Polly dichiarò sempre di non aver trovato niente di speciale, in quella signora.

Come ho detto, la donna era l'ultima della fila. Dopo di lei c'erano numerosi troni vuoti, come se la sala avesse dovuto accogliere una collezione di statue ancora più grande.

— Mi piacerebbe proprio sapere la storia di tutta questa gente — disse Digory. — Torniamo indietro e diamo un'occhiata a quella specie di tavolo che si trova in mezzo alla stanza.

L'oggetto che si trovava al centro della stanza non era esattamente un tavolo. Era una sorta di pilastro quadrato alto più di un metro, con un piccolo arco dorato da cui pendeva una campanella d'oro; e a fianco c'era un martelletto d'oro per suonare la campana.

— Chissà... chissà se... — balbettò Digory.

— Mi sembra che ci sia scritto qualcosa — aggiunse Polly, chinandosi a leggere su un lato del pilastro.

— Caspita, lo sapevo. E naturalmente non siamo in grado di decifrarlo.

— ·Tu dici? Io non ne sono così sicura — affermò Polly.

Studiarono attentamente le lettere scolpite nella pietra, che, come è facile immaginare, erano piuttosto strane. In quel preciso istante accadde qualcosa di magico. Infatti, mentre continuavano a fissare il lato del pilastro, cominciarono a capire il significato delle lettere, anche se la loro forma restava la stessa. Se Digory avesse ricordato cosa aveva detto poco prima a proposito della grande sala, e cioè che sembrava incantata, avrebbe potuto intuire che l'incantesimo cominciava a fare effetto. Ma il nostro eroe era troppo eccitato dalla curiosità per poter pensare a questo e non vedeva l'ora di poter decifrare le parole incise sul pilastro, il che avvenne molto presto. Il significato delle parole dell'iscrizione suonava più o meno così:

O STRANIERO AVVENTUROSO, DUE POSSIBILITÀ TI VENGONO OFFERTE: SUONARE LA CAMPANA E ASPETTARTI IL PERICOLO O DOMANDARTI, FINO ALLA FOLLIA, COSA SAREBBE ACCADUTO SE L'AVESSI SUONATA.

Questo era il senso dell'iscrizione, anche se letta dal vivo era certo un'altra cosa.

— Fermo là — esclamò Polly. — Ho già deciso: non vogliamo correre rischi, vero?

— Non dire così. Passeremmo il resto della vita a chiederci quello che sarebbe successo dopo aver suonato la campana, e prima o poi diventeremmo pazzi. Vuoi questo?

— Digory, torna in te. Che c'importa di sapere quello che succederà se suoneremo la campana?

— Credo che chi arriva a questo punto sia costretto ad andare avanti, altrimenti corre il rischio di diventare pazzo. È magia, incantesimo, non capisci? Comincio già a sentirne gli effetti.

— Io non sento proprio niente e secondo me neppure tu. Lo stai facendo apposta.

— Lo pensi tu. Ma che ci vuoi fare, sei una ragazzina e alle ragazzine interessano solo le chiacchiere e i pettegolezzi sui fidanzati.

— Quando dici queste cose sei la copia esatta di tuo zio Andrew.

— Perché cambi discorso? Stavamo parlando di ..

— Tutti uguali, gli uomini — lo interruppe Polly con un'aria da donna fatta, per poi aggiungere rapidamente, con il tono consueto: — E adesso non azzardarti a copiarmi dicendo che sono uguale a tutte le donne.

— Non mi sognerei mai di chiamare donna una mocciosa come te.

— Io sarei una mocciosa! — disse Polly, letteralmente inviperita. — Quand'è così, non c'è bisogno che ti dia pena per farmi restare qui. Per quanto mi riguarda ne ho abbastanza, di questo posto. E ne ho abbastanza anche di te, razza di animale brutto, testardo e ostinato.

— Ferma, non farlo! — La voce di Digory suonò aspra, forse più di quanto il ragazzo avrebbe voluto, ma Polly stava mettendo la mano in tasca, decisa ad afferrare l'anello giallo. Non voglio certo giustificare Digory per come si comportò con Polly, ma ci tengo a dirvi che in seguito riconobbe di aver sbagliato e se ne dispiacque (e con lui molte altre persone). Dunque, prima che Polly potesse infilare la mano in tasca, Digory l'afferrò per il polso, stringendola forte a sé; bloccato l'altro braccio con il gomito, si sporse in avanti, afferrò il martello e dette un colpetto leggero ma ben assestato alla campana dorata, poi lasciò andare Polly. Adesso si fronteggiavano, respirando affannosamente. Polly cominciò a piangere, non per la paura, s'intende, e neppure perché Digory, afferrandola, le aveva fatto male; piangeva perché era molto, molto arrabbiata. E ancora non sapevano che di lì a poco avrebbero avuto ben altro a cui pensare.

Una volta colpita, la campana emise un suono dolce e ovattato che invece di attenuarsi continuò, aumentando di volume. Dopo un minuto era tanto forte che se i ragazzi avessero voluto parlare, non sarebbero riusciti a capirsi.

Al momento, comunque, il problema non si poneva, visto che sia Digory che Polly se ne stavano a bocca aperta. Il suono si fece a mano a mano più assordante; faceva vibrare tutta la sala, dolce e monocorde, ma di una dolcezza che incuteva timore e inquietudine. I nostri amici sentirono il pavimento tremare sotto i piedi, finché un altro suono si sovrappose a quello della campana: all'inizio pareva l'eco di un treno in arrivo, poi il fragore di un albero tagliato che cade.

Polly e Digory ebbero la sensazione che qualcosa di molto grosso e pesante stesse franando. Infine, dopo un tuono annunciato da un boato terribile e una scossa che li fece quasi cadere a terra, almeno un quarto del tetto cadde a pezzi in fondo alla sala, facendo tremare le pareti. A questo punto la campana tacque, i vortici di polvere scomparvero e tutto tornò tranquillo. Nessuno riuscì a capire se fosse stato un incantesimo a far crollare il tetto o se il suono della campana fosse diventato così forte da sbriciolarne la struttura.

— Perfetto! Spero che tu sia soddisfatto — balbettò Polly.

— Be', comunque adesso è finito — rispose Digory.

Ne erano convinti tutti e due, ma come si sbagliavano...

Polly e Digory si fronteggiavano davanti alla colonna che sorreggeva la campana: il fusto tremava ancora, benché la campana fosse ormai silenziosa. A un tratto, dall'estremità della sala uscita indenne dal crollo venne un debole rumore. Si voltarono per vedere di cosa si trattasse: la più lontana delle figure riccamente vestite, la donna che a Digory era parsa di una bellezza straordinaria, si alzava dal trono. Quando la videro in piedi, i ragazzi rimasero esterrefatti: era ancora più alta di quanto avessero immaginato. Dalla luce che lampeggiava negli occhi e dalla piega delle labbra (oltre che, naturalmente, dalla corona e dall'abbigliamento), si capiva che si trattava di un'importante regina.

La donna si guardò intorno. Scorse le macerie e i due ragazzi, ma dall'espressione non si capiva cosa le passasse nella testa né se fosse stupita. Si mosse verso di loro compiacendosi d'un'andatura veloce.

— Chi mi ha svegliato? Chi ha sciolto l'incantesimo? — chiese.

— Credo... credo di essere stato io — rispose Digory.

— Tu! — esclamò la regina, posando la mano sulla spalla del ragazzo; una mano bianca, bellissima, e al tempo stesso forte come le tenaglie che piegano l'acciaio. — Tu? Ma se sei soltanto un bambino. Comune, per giunta. Si vede subito che nelle tue vene non scorre affatto sangue blu. Come hai osato entrare nel palazzo?

— Veniamo da un altro mondo grazie... a un incantesimo — intervenne Polly. Era giunta l'ora che la regina si accorgesse anche di lei.

— Hai detto la verità? — chiese la regina, continuan-

do a guardare Digory e trascurando completamente Polly.

— Sì, ho detto la verità.

Con l'altra mano la regina gli sollevò il mento per poterlo guardare meglio in faccia. Digory cercò di fissarla, ma fu costretto ad abbassare lo sguardo. In lei c'era qualcosa che incuteva timore.

Dopo che lo ebbe studiato per almeno un minuto, la regina allentò la presa e disse: — Tu non sei un mago, non hai il marchio. Devi essere l'apprendista di un mago che ha organizzato questo viaggio per te.

— Si tratta di mio zio Andrew — rispose Digory.

In quel momento venne un tremolio da un punto vicino, poi un boato, come se crollasse un pezzo di muratura. Infine anche il pavimento cominciò a tremare.

— Grande è il pericolo che ci sovrasta. Fra poco il palazzo crollerà. Se non usciamo immediatamente, verremo sepolti dalle macerie. — Nel dire questo la regina ostentava una calma innaturale, come se parlasse del tempo. — Andiamo — aggiunse, e afferrò i ragazzi per mano.

Polly, che fin dal primo momento non aveva provato nessuna simpatia per la regina, avrebbe fatto volentieri a meno di darle la mano ma non ci riuscì, perché la donna parlava con grande calma ma i suoi gesti erano sorprendentemente rapidi. Prima che Polly potesse capire quello che succedeva, si sentì imprigionare la mano sinistra in una ben più grande e forte e non ebbe via di scampo.

"Che donna terribile!" pensò. "Ha una forza tale che potrebbe spezzarmi il braccio. E ora che mi tiene per mano, come faccio a prendere l'anello giallo? Se provo ad allungare il braccio destro per infilare la mano nella tasca sinistra, non riesco comunque a prendere l'anello, perché lei mi chiederà immediatamente cosa faccio. Succeda quel che succeda, la regina non deve sapere niente degli anelli. Spero proprio che Digory tenga la bocca chiusa. Oh, se potessi scambiare qualche parola da sola con lui…"

Intanto la regina li aveva portati fuori dalla sala delle statue e aveva imboccato un lungo corridoio. Ora li guidava attraverso un labirinto di sale, cortili e scalinate. Polly e Digory continuarono a sentire il rombo del palazzo che crollava, sempre più vicino a loro. A un tratto, un grosso arco si sbriciolò al suolo pochi secondi dopo che i nostri l'avevano attraversato.

La regina camminava spedita e i ragazzi facevano non poca fatica a starle dietro, ma lei non mostrava alcun segno di stanchezza. Digory pensò che fosse una vera sovrana: non era mai stanca e perdipiù era coraggiosa. Chissà se avrebbe raccontato loro la storia del palazzo…

E in effetti, durante il cammino che fecero insieme, la regina cominciò a dire di tanto in tanto qualcosa che riguardava storia e vicende del grande edificio. — Questa è la porta delle prigioni sotterranee — disse a un tratto, e poco dopo: — Questo passaggio porta alle sale di tortura principali — e ancora: — Questa era l'antica sala dei banchetti. Una volta mio padre invitò settecento nobili a una grande festa e li uccise tutti dopo averli fatti ubriacare. Erano ribelli, se lo meritavano.

Arrivarono in una sala più grande e più alta di tutte

quelle viste fino ad allora. Dalle dimensioni dell'ambiente e dal grande portale che si vedeva in fondo, Digory pensò di aver raggiunto l'ingresso principale del palazzo, e non sbagliava. Le porte erano profondamente nere, quasi mortuarie, di una sostanza che sembrava ebano o un legno che non si trova nel nostro mondo. Erano chiuse con sbarre di ferro, quasi tutte sistemate in alto e tutte così pesanti che era impossibile alzarle. Digory cominciò a chiedersi come sarebbero usciti.

La regina gli lasciò la mano e alzò il braccio, si erse in tutta la sua altezza e rimase immobile. Poi pronunciò alcune parole che Polly e Digory non riuscirono a capire, anche se una cosa era certa: avevano un suono orribile.

Subito dopo, con il braccio ancora alzato, la regina fece il gesto di chi sta per lanciare qualcosa. A quel segnale le porte altissime e pesanti ondeggiarono qualche secondo, come se fossero di seta, poi si sbriciolarono sulla soglia in un cumulo di polvere.

— Caspita! — esclamò Digory.

— Il tuo maestro… tuo zio, ha poteri simili ai miei? — chiese la regina, afferrando di nuovo la mano di Digory. — Non importa, lo scoprirò più tardi. Per adesso, devi solo ricordare ciò che hai appena visto. Questo succede alle cose e alle persone che ostacolano il mio cammino.

La luce filtrava copiosa attraverso il portale ormai del tutto sgombro. Polly e Digory lo oltrepassarono insieme alla regina e finalmente arrivarono all'esterno. Li accolse un soffio gelido che sapeva d'aria viziata, ma si trovavano su una gran terrazza e davanti a loro si schiudeva un paesaggio sconfinato.

Lontano, verso l'orizzonte, brillava un enorme sole rosso, molto più grande del nostro. Digory ebbe l'impressione che il sole fosse anche più antico: un globo arrivato alla fine dei suoi giorni, stanco di guardare il mondo che gli era stato destinato. A sinistra del sole, più in alto, una gran stella emanava una luce intensa. Il sole e la stella erano gli unici astri in un cielo nero come la notte. In basso, sulla terra, si stendeva a perdita d'occhio una grande città, completamente disabitata e priva di ogni forma di vita. E palazzi, templi, torri, piramidi e ponti proiettavano lunghe ombre sinistre nella tenue luce del sole. Un tempo un grande fiume aveva attraversato la città, ma l'acqua era scomparsa e si poteva vedere solo un ampio letto coperto di polvere grigia.

— Guardate quello che nessuno potrà mai più vedere — disse la regina. — Questa era Charn, la grande città dimora del re dei re, la meraviglia del mondo e di tutti i mondi. Tuo zio è il potente signore di una città immensa come questa?

— No — rispose Digory. E stava per aggiungere che zio Andrew non governava nessuna città, quando la regina lo interruppe di nuovo.

— Adesso è sceso il silenzio, ma quando la città di Charn era viva e animata io c'ero. Ho sentito lo scalpiccio dei piedi sul selciato, il cigolio delle ruote dei carri, lo sferzare delle fruste e i lamenti degli schiavi, il rombo dei cocchi e il ritmo dei tamburi che dai templi annunciavano il rito sacrificale. Mi trovavo proprio qui (ma ormai la fine era annunciata) quando il clamore della battaglia arrivò da ogni parte e il fiume di Charn si tinse di rosso. — La regina fece una breve pausa, poi aggiunse: — In un attimo una donna, da sola, ha cancellato tutto questo per sempre.

— Chi? — chiese Digory con voce incerta. Ma conosceva già la risposta.

— Io — rispose la regina. — Io, Jadis, l'ultima delle regine, la regina del mondo.

I due ragazzi rimasero in silenzio, tremanti per il vento gelido.

— La colpa fu di mia sorella — proseguì la regina. — Fu lei a portarmi a questo. Che la maledizione di tutti gli dei possa schiacciarla per sempre! Io ero pronta a fare pace, sì, pronta perfino a risparmiarle la vita. Ma lei non voleva cedere il trono, così il suo inutile orgoglio ha distrutto il mondo intero. Dopo lo scoppio della guerra stringemmo un patto solenne: nessuna delle due avrebbe fatto ricorso alla magia. Ma lei ruppe la promessa, e cosa potevo fare io? Pazza sconsiderata!

Come se non avesse saputo che i miei poteri erano di gran lunga superiori ai suoi. Sapeva perfino che conoscevo il segreto della parola deplorevole. Come ha potuto pensare, pur avendo un carattere debole, che non l'avrei usata?

— Cos'è la parola deplorevole? — chiese Digory.

— È il segreto dei segreti — rispose la regina Jadis. — La parola che risale alla notte dei tempi. I grandi re della nostra stirpe sapevano dell'esistenza di una parola magica che, se usata con un cerimoniale particolare, avrebbe causato l'annientamento di tutti gli esseri viventi. Solo colui che la pronunciava sarebbe sopravvissuto. Ma i grandi re erano pavidi e dal cuore tenero, e stabilirono che non solo loro non avrebbero mai fatto uso della parola deplorevole, ma neppure coloro che sarebbero venuti dopo. A me fu dato di conoscerla in un luogo segreto e per apprenderla ho pagato un prezzo tremendo. Non l'ho mai usata fino a che non vi sono stata costretta. Ho cercato di salvare la situazione con le mie forze, ho lasciato che il sangue dei miei prodi scorresse come acqua…

— Mostro — sussurrò pianissimo Polly.

— La battaglia decisiva ebbe luogo proprio qui a Charn e durò tre giorni — proseguì la regina. — Per tre giorni osservai gli sviluppi della situazione, da questo punto. Non ricorsi al mio potere finché non vidi cadere l'ultimo dei miei soldati. Intanto mia sorella, alla testa delle truppe ribelli, risaliva la grande scalinata che dalla città porta fino a questa terrazza. La aspettai. Volevo vederla in faccia, guardarla negli occhi. Non appena mi fu di fronte, mi rovesciò addosso il suo sguardo cattivo e gridò: «Vittoria!» «Sì, vittoria» risposi io. «Ma non appartiene a te.» Fu allora che pronunciai la parola deplorevole. Un istante più tardi, ero l'unica sopravvissuta sotto questo sole.

— E… e la gente? — balbettò Digory.

— Quale gente, ragazzo?

— La gente comune — intervenne Polly. — Gli uomini che non ti avevano fatto del male, le donne e i bambini. E anche gli animali.

— Ma non capisci? — disse la regina, rivolta sempre a Digory. — Io ero la regina, loro erano il mio popolo, la mia gente. Non potevano far altro che sottomettersi alla mia volontà.

— Però hanno avuto una sorte dura — commentò Digory.

— Dimenticavo, tu sei solo un ragazzetto comune. Come puoi comprendere la ragion di stato? Devi capire, bambino, che ciò che per te e la gente comune è sbagliato, non lo è per una grande regina. Vedi, il peso del mondo grava sulle nostre spalle, ed è per questo che non possiamo sottostare a nessuna regola. Il nostro è un destino superiore e solitario.

Digory ricordò che zio Andrew aveva detto le stesse cose, ma in bocca alla regina Jadis sembravano più solenni. Chissà, forse perché zio Andrew non era alto più di due metri e non possedeva una bellezza abbagliante.

— E poi cosa è successo? — incalzò Digory.

— Avevo già fatto un incantesimo alla grande sala dove siedono le statue dei miei antenati. Era un incantesimo tanto potente da consentirmi di dormire in mezzo a loro, senza cibo e senza la necessità di scaldarmi, per secoli e secoli, fin quando non fosse arrivato qualcuno a suonare la campana e a sciogliere l'incantesimo.

— È stata la parola deplorevole a ridurre il sole così? — chiese ancora Digory.

— Così come? — Jadis non aveva capito la domanda.

— Rosso, grande e freddo.

— Il nostro sole è sempre stato come lo vedi. Per lo meno, da centinaia di migliaia di anni. Nel vostro mondo il sole è diverso?

— È più giallo e più piccolo. E soprattutto è molto più caldo.

La regina emise un lungo "aaah"! e Digory poté leggerle sul volto lo stesso ghigno cattivo di zio Andrew.

— E così — disse Jadis — il vostro mondo è più giovane del mio. — Tacque e si soffermò a guardare ancora una volta la città deserta; se era dispiaciuta per il male che le aveva arrecato, certo non lo dava a vedere. Poi proseguì: — Andiamo, adesso. Qui siamo alla fine del tempo e fa freddo.

— Andiamo dove? — chiesero i ragazzi a una voce.

— Che domanda! Nel vostro mondo, naturalmente.

Polly e Digory si guardarono inorriditi. Fin dal primo momento Polly non aveva provato la minima simpatia per la regina; quanto a Digory, dopo averne ascoltato i racconti capì che ne aveva abbastanza di lei e che era venuto il momento di salutarla. La regina Jadis non era il tipo di persona da invitare a casa! I due ragazzi non chiedevano che di tornare insieme nel loro mondo, ma c'era un piccolo particolare: Polly non riusciva a prendere il suo anello e Digory non poteva rientrare da solo.

Digory si fece rosso e cominciò a balbettare qualcosa.

— Il... il nostro mondo. Non sapevo che volessi andarci.

— Non sei venuto fin qui proprio per portarmi via? — chiese Jadis a questo punto.

— Non ti troveresti bene, nel nostro mondo — tentò di spiegare Digory. — Non fa per te, vero, Polly? È un mondo piatto, poco interessante. Non vale la pena visitarlo.

— Non appena avrò assunto il comando, diventerà un mondo interessante — rispose la regina.

— Ma non potrai — intervenne Digory. — Vedi, da noi le cose funzionano diversamente. Non te lo permetteranno.

La regina sorrise sprezzante. — Molti grandi re pensavano di potersi mettere contro la casa di Charn. Ma caddero tutti, senza distinzione, e ora il loro nome è dimenticato per sempre. Sciocco, pensi davvero che con i miei poteri e la mia bellezza non riuscirei a impossessarmi del tuo mondo prima che sia trascorso un anno? Avanti, pronuncia la parola magica e portami subito laggiù.

— Che guaio — sussurrò Digory a Polly.

— Ho capito, temi per tuo zio. Ma ti assicuro che, se mi riserverà tutti gli onori, potrà conservare la vita e il trono. Non voglio schierarmi contro di lui. Mi inchino davanti ai suoi poteri: deve essere un grande mago, se è riuscito a farti arrivare fin qui. Regna sul mondo intero o solo su una parte?

— Zio Andrew non è un re — ammise Digory.

— Tu menti, un mago ha sempre sangue blu nelle vene. Attento, bambino: so quando dici la verità e quando racconti bugie. Tuo zio è il gran re e il gran mago del vostro mondo e grazie ai suoi incantesimi ha riconosciuto il mio volto, riflesso in uno degli specchi magici che possiede o in qualche stagno incantato. Poiché si è perdutamente innamorato della mia bellezza, ha fatto un incantesimo che ha sconvolto le fondamenta del vostro mondo e ti ha consentito di attraversare il passaggio che collega questo luogo al tuo. Ha intenzione di chiedere la mia mano e vuole che tu mi conduca da lui. Avanti, rispondi. Ho ragione, vero?

— Non proprio — balbettò Digory.

— Non proprio? — gridò Polly. — Ma se sono tutte sciocchezze!

— Come vi permettete, schiavi! — urlò la regina, rivolta a Polly. Poi afferrò la poverina per i capelli, proprio sopra alla fronte, dove fa più male. Ma per fare questo, dovette lasciare la mano ai due bambini.

— Avanti!— gridò Digory.

— Presto! — gridò Polly.

Immediatamente infilarono la mano sinistra nella tasca. Non ebbero neppure bisogno di indossare gli anelli perché, non appena li toccarono, quel mondo cupo scomparve nel nulla. Cominciarono a risalire velocemente verso l'alto, mentre una luce verde e calda si intravedeva su di loro, sempre più vicina.

— Lasciami andare, lasciami andare! — gridò Polly.
— Ma non sono io che ti tengo — disse Digory.

Poi spuntarono con la testa dallo stagno e ancora una volta furono accolti dal silenzio caldo e assolato della Foresta di Mezzo. Dopo lo spettacolo di rovina e desolazione cui avevano assistito, la foresta parve loro più rigogliosa e accogliente del solito. Penso che se avessero potuto farlo, Polly e Digory avrebbero dimenticato volentieri chi erano e da dove venivano per sdraiarsi di nuovo sulla morbida erbetta e, nel dormiveglia, dedicarsi all'ascolto degli alberi che crescevano. Ma stavolta c'era qualcosa che non permetteva loro di abbandonarsi alla quiete. Non appena sull'erba, si accorsero di non essere soli: la regina o la strega (a voi la scelta) li aveva seguiti nel viaggio, ben stretta ai capelli di Polly. Ecco perché Polly poco prima aveva gridato: «Lasciami andare!»

L'accaduto confermava che zio Andrew conosceva ben poco il potere degli anelli. Infatti, per passare da un mondo a un altro non è necessario infilarli o toccarli: basta toccare qualcuno che li porta. In questo modo funzionano come una calamita. Sapete tutti che se si mette una calamita accanto a uno spillo questo viene immediatamente attratto e tutti gli spilli che lo toccano vengono "calamitati" immediatamente anch'essi...

Ora che si trovava nella foresta, la regina Jadis sembrava diversa: era molto più pallida, tanto che perfino la sua bellezza sembrava avvizzita. Era china e respirava a fatica, come se l'aria la soffocasse, e i ragazzi non avevano più paura di lei.

— Lasciami andare, lascia i miei capelli — gridò ancora Polly. — Si può sapere perché continui a tirarli?

— Avanti, lasciala andare subito — intervenne Digory.

I bambini si voltarono e cominciarono una sorta di lotta contro la regina, ma erano decisamente più forti e nel giro di pochi secondi la costrinsero alla resa. Jadis cadde indietro, il respiro affannoso e un lampo di terrore negli occhi.

— Presto, Digory, cambiamo gli anelli e tuffiamoci subito nello stagno che porta a casa — disse Polly.

— Aiuto! — gridò la strega con la voce debole e tremante, barcollando dietro di loro. — Abbiate pietà, portatemi con voi. Non potete lasciarmi in questo posto orribile, potrei morirne.

— È ragion di stato — spiegò Polly con una punta di malignità. — La stessa che ti ha spinta a uccidere tanta gente nel tuo mondo. Andiamo, Digory, non curarti di lei. Sbrighiamoci.

— Accidenti, come facciamo? — In fin dei conti, Digory provava un po' di pena per la regina.

— Non essere stupido — urlò Polly. — Scommetto che si prende gioco di noi. Digory, dobbiamo andarcene!

I due ragazzi si avvicinarono al vecchio stagno.

— Per fortuna avevamo lasciato un segno di riconoscimento — commentò Polly. Ma quando saltarono nello stagno, Digory si accorse che una mano grande e fredda gli aveva afferrato l'orecchio. Quando cominciarono a risalire, e mentre le immagini confuse del nostro mondo prendevano forma, la mano strinse sempre di più, finché il ragazzo sentì un gran dolore. A quanto pareva, la strega aveva recuperato tutte le forze. Digory cominciò a dimenarsi e a scalciare, ma non ci fu niente da fare. In un batter d'occhio si trovarono nello studio di zio Andrew, che fu incantato dalla straordinaria creatura portata da un altro mondo.

Lo zio continuava a fissare Jadis e i ragazzi guardavano esterrefatti la scena. La strega si era ripresa, su questo non c'era dubbio, e non si poteva dubitare che una donna simile, trasportata nel nostro ambiente comune e ordinario, togliesse il respiro. Insomma, se a Charn Jadis incuteva timore, a Londra faceva proprio una gran paura.

Fino a quel momento Polly e Digory non si erano resi conto di quanto la strega fosse imponente. "No, non appartiene alla razza umana" pensò Digory non appena l'ebbe vista nello studio dello zio; e forse aveva ragione, perché pare che la famiglia reale di Charn avesse sangue di gigante nelle vene... oltre a quello blu. Ma neppure la sua straordinaria altezza era pari alla bellezza fiera e indomita: Jadis sembrava dieci volte più viva ed energica della gente che si incontra per le strade di Londra. Zio Andrew non faceva che fregarsi le mani e guardare: con autentico timore, a dire il vero. Povero zio, di fronte a lei sembrava così piccolo! Come Polly precisò in seguito, la faccia dello zio e quella di Jadis avevano lineamenti simili, qualcosa di assolutamente identico nell'espressione: insomma, una sorta di marchio che accomuna tutti i maghi malvagi e che, secondo Jadis, Digory non mostrava affatto.

La cosa bella, nel vedere lo zio a fianco della strega, fu che da allora in poi nessuno ebbe più paura di lui: infatti, com'è possibile tremare davanti a un verme dopo che ti sei imbattuto in un serpente a sonagli? Come puoi fuggire davanti a una mucca se hai appena incontrato un toro?

"E quello sarebbe un mago?" pensò Digory. "Voglio vedere come se la cava, con la strega!"

Lo zio Andrew non aveva ancora smesso di fregarsi le mani e inchinarsi davanti alla meravigliosa creatura. Si capiva che avrebbe voluto dire qualcosa di carino, ma aveva la gola secca e non riusciva a parlare. Il suo "esperimento" con gli anelli, come lo chiamava lui, era più che riuscito: infatti, pur essendo dedito alla magia da anni, aveva sempre lasciato che gli altri risolvessero i guai da lui provocati. Era la prima volta che si trovava ad affrontare una situazione diversa.

Finalmente Jadis parlò: senza alterarsi, pacata, ma con un tono da far tremare la stanza.

— Dov'è il mago che mi ha voluta in questo mondo?

— Ge-gentile signora — balbettò zio Andrew — sono così onorato… Un piacere così grande e inaspettato… se lo avessi saputo in tempo mi sarei preparato al grande evento con maggior cura e…

— Stolto, rispondi. Dov'è il mago? — tuonò Jadis.

— Veramente… ai suoi ordini. Il mago sono io e voglio innanzitutto chiederle scusa per la mancanza di rispetto che questi mocciosi le avranno mostrato… Giuro che non era mia intenzione.

— Tu? — esclamò Jadis, fuori di sé.

Poi, con un sol balzo, attraversò la stanza, afferrò zio Andrew per i capelli grigi e gli spinse indietro la testa,

in modo da poterlo guardare dritto negli occhi; poi studiò attentamente il volto del sedicente mago, come nel palazzo di Charn si era soffermata sulla faccia di Digory. Zio Andrew batteva le palpebre e si mordicchiava nervosamente le labbra. Alla fine, la strega lo lasciò andare così all'improvviso che il malcapitato finì contro la parete.

— Ma bene, e così tu saresti il mago. Che razza di stregone! — esclamò Jadis sarcastica. — In piedi, cane, e non darti troppe arie. Non hai di fronte uno dei tuoi simili. Come sei entrato nei misteri della magia? Tu non hai sangue reale nelle vene, potrei giurarci.

— Be', a dire il vero nelle mie vene non scorre proprio sangue di re, signora. Però i Ketterly sono una famiglia molto antica. E provengono dal Dorsetshire, signora.

— Per tutti gli dei, ora capisco, sei un ciarlatano da quattro soldi. Tutto quello che sai lo hai appreso su libri e manuali. Nel tuo sangue e nel tuo cuore non c'è posto per la magia. Gente della tua razza, nel mio mondo, ha smesso di esistere centinaia di anni fa, ma qui sarò clemente. Ti concederò di essere il mio aiutante.

— Che grande onore, magnanima signora. Sarà un vero piacere!

— Smettila, parli troppo. Ascolta e ti spiegherò in cosa consiste il tuo primo compito. Questa deve essere una grande città: procurami immediatamente un cocchio o un tappeto volante. Anche un drago andrebbe bene. Insomma, voglio avere a disposizione qualsiasi cosa si usi qui da voi per gli spostamenti del re o dei nobili. Poi dovrai accompagnarmi in un luogo dove

possa procurarmi abiti, gioielli e schiavi appropriati al mio rango. Dopodiché, da domani comincerò la conquista del mondo.

— Vado... vado immediatamente a chiamare una carrozza — balbettò zio Andrew.

— Aspetta — intimò la strega, non appena lui ebbe raggiunto la porta. — Non sognarti neppure di tradirmi. Sappi che i miei occhi possono vedere attraverso le mura e nella mente degli uomini. Ti seguiranno ovunque andrai, e al primo segno di disobbedienza scaglierò incantesimi tali da rendere incandescenti tutte le superfici dove siederai; quando ti metterai a letto, blocchi invisibili di ghiaccio ti stringeranno i piedi. E adesso vai.

Il vecchio uscì dalla stanza come un cane bastonato, la coda fra le gambe.

Intanto, Polly e Digory temevano che Jadis avrebbe avuto da ridire sugli avvenimenti nella foresta, ma contro ogni previsione la strega non vi fece più cenno. Se devo dire come la penso (e Digory è del mio stesso parere), la mente di Jadis era fatta in modo particolare: non ricordava affatto i posti silenziosi e tranquilli, e anche se qualcuno l'avesse portata lì di nuovo, subito dopo l'avrebbe dimenticato. Adesso che era rimasta sola con i ragazzi, non li degnò neppure di uno sguardo: anche questa era una caratteristica di Jadis. Per fare un esempio, a Charn non si era neppure accorta della presenza di Polly (tranne alla fine), perché aveva deciso di usare Digory. Ora che aveva zio Andrew, aveva perso ogni interesse nel ragazzo. A dire la verità, credo che quasi tutte le streghe si comportino così: si in-

teressano alle persone e alle cose solo finché ne hanno bisogno. Le streghe sono molto, molto pratiche.

Nella stanza calò il silenzio per qualche minuto, ma dal modo in cui Jadis batteva il pavimento con il piede, chiunque avrebbe capito che cominciava a perdere la pazienza.

Poi la sentirono parlare da sola, ad alta voce: — Cosa sta facendo quel vecchio pazzo? Avrei dovuto portare con me una frusta.

Quindi, senza degnare i ragazzi neppure di uno sguardo, uscì impettita alla ricerca di zio Andrew.

— Finalmente — sospirò Polly. — Adesso devi proprio scusarmi, ma è molto tardi e devo andare a casa.

— Va' pure, ma cerca di tornare appena puoi — disse Digory. — Polly, siamo nei guai con quella qui attorno. Dobbiamo decidere un piano d'attacco.

— Stavolta ci penserà tuo zio. È stato lui, con la sua magia, a scatenare tutto.

— Va bene, Polly, ma tornerai? Cerca di capire, non puoi lasciarmi nei pasticci proprio adesso.

— Per andare a casa passerò dalla galleria — disse Polly piuttosto freddamente. — È il modo più rapido. Se vuoi che torni devi come minimo chiedermi scusa, non credi?

— Chiederti scusa? — esclamò Digory. — Questa è proprio bella. E posso sapere cosa avrei fatto?

— Niente, naturalmente — rispose lei sarcastica. — Per poco non mi hai spezzato il polso nella stanza delle statue di cera. Ti sei comportato proprio da vigliacco, lasciatelo dire. Hai suonato la campana con il martello e quando siamo tornati nella foresta hai permesso che quella donna ti afferrasse prima di saltare nello stagno. Questo è tutto, caro mio.

— Oh — esclamò Digory sorpreso. — E va bene, ti porgo le mie scuse. Mi dispiace per quello che è successo nella sala delle statue. Accetta le scuse e cerca di tornare presto, altrimenti non so cosa fare. Intesi?

— Perché ti preoccupi? A te che cosa può succedere? Le sedie incandescenti e i blocchi di ghiaccio nel letto li troverà il signor Ketterly, no?

— Non è questo, Polly. Sono preoccupato per mia madre: se quella strana creatura entrasse all'improvviso nella sua camera, la mamma potrebbe spaventarsi a morte.

— Capisco — disse Polly, stavolta con una voce diversa.

— E va bene, facciamo la pace, ti prometto che appena sarà possibile tornerò da te. Ma adesso devo andare. — Polly oltrepassò la porticina ed entrò nel cunicolo buio in mezzo alle travi. Fino a poche ore prima le era parso un posto eccitante e avventuroso, ma adesso sembrava tranquillo e familiare.

Vediamo intanto cosa stava combinando zio Andrew. Appena imboccate le scale che portavano ai piani inferiori, il suo povero cuore aveva cominciato a battere all'impazzata e di tanto in tanto aveva dovuto tergersi la fronte con un fazzoletto. Appena raggiunta la stanza da letto, che si trovava al piano immediatamente sotto lo studio, si era chiuso a chiave. A questo punto, la prima cosa che gli venne da fare fu di aprire l'armadio e di cercare la bottiglia e il bicchiere che da sempre teneva nascosti nel fondo, lontano dallo sguardo vigile di zia Letty. Si era versato un bicchierino di brandy invecchiato al punto giusto e l'aveva bevuto d'un fiato, poi aveva respirato profondamente.

"Guarda cosa mi doveva succedere" pensava adesso. "E per di più alla mia età. Oddio, che paura!"

Si versò un secondo bicchierino e lo tranguggiò senza troppi complimenti, poi decise di cambiarsi d'abito. Ragazzi miei, voi non avete mai visto vestiti di quel genere, ma dal momento che io li ricordo nei minimi particolari, proverò a descrivervi l'abbigliamento di zio Andrew. Per prima cosa indossò uno di quei colletti inamidati che costringevano a tenere il mento perennemente alzato; poi mise un panciotto bianco con taschino e sistemò la catenella dell'orologio d'oro in modo che fosse bene in vista sul davanti. Infilò la finanziera buona, cioè una giacca lunga e a doppio petto che indossava solo nelle grandi occasioni, tipo matrimoni e funerali, e tirò fuori il miglior cappello a cilindro. Lo spazzolò ben bene, scelse il più fresco da un mazzo di fiori recisi e lo infilò all'occhiello. Prese un fazzoletto pulito (di fattura squisita, come oggi non se ne trovano più) e lo profumò con qualche goccia d'acqua di colonia.

Cercò gli occhiali da vista, cui aveva legato un nastro nero molto sottile, e li appoggiò sul naso; infine si guardò allo specchio.

Come sapete, i bambini possono essere sciocchi per un verso e gli adulti per un altro. In quel preciso momento lo zio si comportava da sciocco del tipo adulto. Mi spiegherò meglio: adesso che non era più nella stanza della strega, zio Andrew aveva dimenticato quanto lo avesse spaventato e non faceva che pensare a quella bellezza unica e straordinaria. "Che donna, che donna! Una creatura superba!" andava ripetendosi. Per qualche strana ragione aveva perfino dimenticato che erano stati i ragazzi a trascinare nel mondo quella "superba creatura". Al contrario, era convinto di averla evocata lui stesso da luoghi sconosciuti.

"Andrew, vecchio mio" si disse mentre si ammirava allo specchio "gli anni te li porti bene davvero. Sei un uomo elegante e distinto "

Per farla breve, quel pazzo sconsiderato si era convinto che la strega si sarebbe perdutamente innamorata di lui. Con ogni probabilità si era montato la testa dopo aver messo il vestito buono e aver bevuto i due bicchierini di liquore: in ogni caso non faceva che pavoneggiarsi e questo era, in definitiva, il motivo per il quale era diventato mago.

Aprì la porta della stanza da letto, scese di sotto, mandò la cameriera a chiamare una carrozza (non dovete stupirvi, allora quasi tutti avevano molti domestici al loro servizio) e si affacciò nel salotto. Qui sapeva di trovare zia Letty.

La donna rammendava un materasso, inginocchiata davanti al suo lavoro presso alla finestra.

— Ciao, cara Letizia — esordì zio Andrew — dovrei uscire. Potresti prestarmi… non so, cinque sterline? Ho con me una ragazza così bella che…

— No, Andrew caro — rispose zia Letty con voce pacata ma decisa, senza staccare gli occhi dal lavoro. — Ti ho già detto centinaia di volte che non ti presterò denaro.

— Mia cara sorella, ti invito a essere ragionevole — replicò zio Andrew. — Si tratta di una cosa importante. Se non mi verrai incontro, mi metterai in una situazione davvero imbarazzante.

— Andrew — disse zia Letty, stavolta guardandolo dritto negli occhi — francamente mi chiedo come non ti vergogni a farmi una richiesta del genere.

Dietro a queste parole c'era una lunga, vecchia storia di quelle che possono interessare solo gli adulti. Vi basti sapere che zio Andrew, sostenendo di amministrare il denaro di zia Letty nel migliore dei modi, non aveva mai lavorato in vita sua e aveva sperperato quasi tutto il patrimonio della sorella in sigari e bottiglie di brandy. Zia Letty, come potrete immaginare, era molto più povera che una trentina di anni prima.

— Mia cara, non vuoi proprio capire. Oggi devo sostenere spese impreviste, perché si tratta d'intrattenere una persona...

— E chi dovresti intrattenere, Andrew caro, posso saperlo? — fece zia Letty.

— È arrivata qui da noi un'ospite di riguardo.

— Razza di bugiardo. Se è almeno un'ora che il campanello non suona.

D'improvviso la porta si spalancò. Zia Letty, senza capire, si guardò intorno e con grande sorpresa scoprì che una donna altissima, splendidamente vestita, con le braccia nude e gli occhi che lanciavano fiamme, era apparsa sulla porta. Si trattava della strega.

— Allora, schiavo, quanto devo aspettare per avere il mio cocchio? — tuonò la strega.

Zio Andrew tremò. Adesso che Jadis era davanti a lui, gli stupidi pensieri che gli erano venuti in testa mentre si ammirava allo specchio scomparvero per incanto. Zia Letty invece, per nulla intimorita dalla presenza dell'intrusa, si alzò in piedi e si diresse al centro della stanza.

— Se non sono indiscreta, Andrew, chi sarebbe questa signora? — chiese in tono gelido.

— Una straniera di riguardo, una persona molto importante — balbettò lui.

— Sciocchezze — disse la zia, e rivolgendosi alla strega: — Fuori immediatamente dalla mia casa, donna di malaffare, o chiamo la polizia. — La zia pensava che la donna facesse parte di un circo ed era scandalizzata per via delle braccia nude.

— Questa chi è? — ribatté la strega. — In ginocchio, schiava, prima che ti riduca in polvere.

— La prego di non usare un linguaggio simile in casa mia, signorina — ribatté zia Letty.

D'improvviso la regina divenne ancora più alta, o così parve allo zio Andrew. Gli occhi erano di fuoco, le braccia oscillavano pericolosamente e dalla bocca uscivano parole incomprensibili ma che suonarono orribili, proprio come quando aveva ridotto in polvere le porte del palazzo di Charn. Stavolta, però, non accadde niente di simile: anzi zia Letty, pensando che le parole malvagie appartenessero a un dialetto volgare e sgrammaticato, si rivolse di nuovo alla sconosciuta.

— Adesso ne ho proprio abbastanza, signorina. Andrew, questa donna è completamente ubriaca. Non si riesce neppure a capire quello che dice.

Povera strega! Dovette essere terribile scoprire che il suo grande e sommo potere, quello di ridurre le persone in polvere, funzionava nel suo mondo e non nel nostro. Tuttavia non si perse minimamente d'animo: senza discutere, fece un balzo in avanti e afferrò zia Letty per le ginocchia e il collo, la sollevò in alto come se non fosse più pesante di una bambola e la scagliò lontano.

Mentre zia Letty volava e poi precipitava a terra, la cameriera (sarebbe stata proprio una giornata divertente, per lei) si affacciò alla porta del soggiorno e avvertì: — Signore, la carrozza è arrivata.

— Avanti, mio schiavo — disse la maga rivolta a zio Andrew, il quale borbottò qualcosa del tipo "protesterò" e "questa violenza è inaudita"; ma non appena Jadis lo fulminò con lo sguardo, tacque e la strega lo portò fuori con sé. Digory scese le scale giusto in tempo per vedere la porta d'ingresso chiudersi dietro ai due.

— Accidenti — gridò il ragazzo. — Adesso comincerà a girare per Londra in compagnia di zio Andrew. Chissà cosa combineranno.

— Signorino Digory — intervenne la cameriera (che si stava proprio divertendo) — penso che la signorina Ketterly si sia fatta male. — Corsero entrambi in salotto per vedere cosa fosse successo alla zia.

Se zia Letty fosse caduta sul pavimento o sul tappeto, sicuramente si sarebbe rotta l'osso del collo. Invece, per fortuna, era caduta sul materasso che stava rammendando: era una donna molto robusta, come la maggior parte delle zie a quei tempi, e dopo aver annusato la boccetta dei sali sedette qualche minuto, giusto per riprendersi. Poi tranquillizzò il nipote e la cameriera, sostenendo che a parte qualche ammaccatura non si era fatta assolutamente nulla. In un batter d'occhio, la zia fu pronta a decidere il da farsi.

— Sarah — disse rivolta alla cameriera, che non si era mai divertita tanto — corri subito alla stazione di polizia e riferisci che una pazza si aggira per la città. Intanto io porterò il pranzo alla signora Kirke. — La signora Kirke, naturalmente, era la madre di Digory.

Dopo che quest'ultima ebbe mangiato, anche zia Letty e il ragazzo sedettero a tavola, pensierosi.

Il problema era come acciuffare la strega e rispedirla al più presto nel suo mondo. Per il nostro Digory un'altra cosa era di fondamentale importanza: per nessun motivo quella donna doveva circolare in casa; la mamma non doveva vederla. Digory non era presente quando la strega, in salotto, aveva deciso di polverizzare zia Letty, ma gli era stato sufficiente assistere alla polverizzazione delle porte di Charn; conosceva i terribili poteri di Jadis e non sapeva che nel nostro mondo li aveva perduti. Per quanto lo riguardava, la regina aveva intenzione di conquistare la terra e in quel preciso istante poteva trovarsi davanti a Buckingham Palace o nei pressi del Parlamento, decisa a ridurre tutto in polvere. Lungo la strada doveva aver annientato un discreto numero di poliziotti...

"Gli anelli funzionano come calamite" pensò Digory. "Se solo riuscissi a toccare la strega e l'anello giallo nello stesso momento, sia lei che io ci troveremmo nella Foresta di Mezzo e magari potrebbe sentirsi male di nuovo, laggiù. Chissà se è quel pósto in particolare a indebolirla o se è stato il passaggio dal suo mondo a un mondo nuovo... Be', qualunque sia la risposta non ho alternativa: devo andare a cercarla. Ma come faccio? Temo che zia Letty non voglia saperne di farmi uscire di casa. Mi darebbe il permesso solo se le dicessi dove ho intenzione di andare, e questo non è possibile. Inoltre, non ho i soldi per prendere il tram e non saprei dove cercare. Chissà se zio Andrew è ancora con lei."

Alla fine Digory concluse che la cosa migliore era mettersi l'animo in pace e aspettare che zio Andrew e la strega tornassero a casa. Allora Digory sarebbe corso verso di lei, l'avrebbe afferrata e, prima che la donna potesse fuggire di nuovo, avrebbe toccato l'anello giallo. Per far funzionare il suo piano, Digory avrebbe tenuto costantemente sotto controllo la porta d'ingresso, come un gatto che fa la posta alla tana del topo.

Così entrò in salotto e appiccicò il naso al vetro della finestra: era un bovindo da cui si potevano vedere i gradini che portavano all'ingresso di casa e la strada più oltre. Tutto era sotto controllo.

"Chissà cosa sta facendo Polly?" si domandò il ragazzo. Anzi, se lo chiese più volte durante la prima mezz'ora di controllo, appostato davanti alla finestra. Ma a voi lo posso dire io, cosa combinava la nostra amica. Era arrivata a casa troppo tardi per il pranzo, con le scarpe e le calze bagnate. Quando la mamma le aveva chiesto dove si fosse cacciata per ridursi in quello stato, Polly aveva spiegato che era stata a giocare con Digory Kirke. Ma la mamma voleva saperne di più e Polly aveva detto che erano andati in un bosco e lei era caduta inavvertitamente in una pozzanghera.

La mamma si era fatta più insistente e aveva chiesto quale bosco. Polly disse che non lo sapeva. Forse era un parco, suggerì ancora la mamma. Polly cercò di dare una descrizione approssimativa dell'ipotetico parco e la mamma si convinse che la bambina e il nipote dei vicini si fossero spinti in una zona di Londra che non conoscevano, dove con molta probabilità c'era un parco, e lì avessero trascorso la mattina a sguazzare nell'acqua. Il risultato di questa deduzione fu che la mamma si arrabbiò molto con Polly. Dopo averla sgridata ben bene, le disse che era stata una vera discola e che se avesse combinato ancora qualcosa di simile non avrebbe più giocato con "quel Kirke". Ma la punizione peggiore consisté nel doversi mettere a tavola e mangiare tutto quello che la mamma servì tranne il dolce e la frutta. Dopodiché Polly fu spedita per due ore in camera sua. Nessuna meraviglia: era una cosa che succedeva spesso, a quei tempi.

E così, mentre Digory sorvegliava l'ingresso di casa e i dintorni, Polly se ne stava a letto e tutti e due pensavano come, a volte, il tempo passi lentamente.

Per quanto mi riguarda, avrei preferito essere al posto di Polly: in definitiva, doveva solo aspettare che scadessero le due ore di punizione. Digory, invece, tutte le volte che sentiva il rumore di una carrozza o del furgone del panettiere, o le grida del garzone del macellaio che provenivano dall'angolo della strada, scattava pensando che lei fosse in arrivo, per poi scoprire che non era vero. A Digory sembrava che il tempo non passasse mai. Tra un falso allarme e l'altro, gli unici rumori erano il ticchettio dell'orologio e il ronzio di un grosso insetto che svolazzava in alto contro il vetro della finestra. Era una casa silenziosa e tranquilla, nel pomeriggio.

Durante l'attesa accadde qualcosa che potrebbe sembrare poco importante per il resto della vicenda, ma credo sia meglio raccontarvelo: il perché lo capirete più tardi.

La zia andò alla porta e ricevette una donna che portava dell'uva per la madre di Digory. Zia Letty fece accomodare la signora in anticamera e, dal momento che la porta del salotto era aperta, Digory poté ascoltare la conversazione.

— Che uva splendida — disse la zia. — Povera Mabel, speriamo che le faccia bene. Ma credo che solo i frutti della Terra della Giovinezza potrebbero salvarla, ormai. Sa, non c'è più niente da fare... — Le donne presero a chiacchierare fitto fitto, ma stavolta così a bassa voce che Digory non poté più capire le parole.

Se avesse sentito zia Letty parlare della Terra della Giovinezza solo un paio di giorni prima, avrebbe pensato che dicesse tanto per dire, come fanno spesso gli adulti, e la cosa non avrebbe risvegliato in lui il minimo interesse. Ma adesso Digory sapeva (e la zia questo non poteva immaginarlo) che esistono veramente altri mondi, perché lui ne aveva visitato uno. Quindi, perché non avrebbe potuto esistere la Terra della Giovinezza? Sicuramente, da qualche parte in un altro mondo cresceva della frutta che avrebbe salvato sua madre. Potete immaginare cosa si provi quando si spera di ottenere qualcosa che si desidera ardentemente: si dubita in continuazione, perché sembra troppo bello per essere vero. Non succede lo stesso anche a voi?

Il cuore di Digory era in subbuglio proprio per questo motivo. Ma il ragazzo non poteva perdersi d'animo, doveva convincersi fin nell'intimo che sì, la Terra della Giovinezza esisteva. Del resto, in così poco tempo erano accadute cose tanto straordinarie! E poteva sempre confidare negli anelli magici... C'erano sicuramente altri mondi, oltre gli stagni della Foresta di Mezzo: li avrebbe visitati tutti, alla ricerca della Terra della Giovinezza. *La mamma sarebbe guarita* e tutto sarebbe tornato come prima. Distratto dai suoi pensieri, Digory aveva completamente dimenticato di controllare l'arrivo della strega. Aveva già la mano in tasca, pronto ad afferrare l'anello giallo, quando sentì il rumore di un cavallo al galoppo che si dirigeva verso casa.

"Cosa succede?" pensò Digory. "È il carro dei pompieri? Una casa sta andando a fuoco, è scoppiato qualcosa? Oh, no, eccola. È lei, è lei!"

Avete indovinato di chi si trattava, vero?

La prima cosa che Digory riuscì a distinguere fu la carrozza.

Al posto del conducente non sedeva nessuno. Sul tetto – badate bene, sul tetto – c'era Jadis, in piedi, la regina delle regine, il terrore di Charn, che riuscì a mantenere un equilibrio perfetto anche quando prese una curva a velocità tremenda e una delle ruote si sollevò completamente da terra.

Gli occhi iniettati di fuoco, i lunghi capelli al vento che sembravano accompagnarla come una cometa, Jadis, nello sforzo, mostrava i denti perfetti e frustava il cavallo senza pietà. La povera bestia aveva le narici rosse e dilatate, i fianchi coperti di una schiuma biancastra e galoppava a folle velocità verso la porta di casa. Per meno di un centimetro non prese in pieno un lampione, poi, improvvisamente, si sollevò sulle zampe posteriori. A quel punto la carrozza andò a sbattere contro il lampione e si ruppe in mille pezzi.

La strega, con un magnifico salto, scese giusto in tempo e atterrò sulla groppa del cavallo. Messasi a cavalcioni della povera bestia, si sporse in avanti e le sussurrò qualcosa all'orecchio. Non so esattamente cosa disse, ma doveva essere una parola che non serviva a calmarlo, bensì a spingerlo al massimo. Il cavallo si impennò di nuovo sulle zampe posteriori e nitrì come se gridasse. Sbuffava, si dimenava, i denti scoperti e gli occhi di fuoco: solo un cavaliere straordinario avrebbe potuto montarlo.

Prima che Digory si fosse ripreso dallo spavento, cominciarono a succedere altre cose.

Una seconda carrozza arrivò all'improvviso a pochi metri dalla prima: ne saltarono fuori un uomo grassoc-

cio stretto in una finanziera e un poliziotto. Poi soprag-
giunse un'altra carrozza con due poliziotti e dietro una
ventina di persone, per la maggior parte fattorini in sella alle loro biciclette, sinceramente impegnati a far tril-
lare il campanello e a salutare allegramente, suonando
nei fischietti. Chiudeva il corteo una folla di persone a
piedi, stanche e accaldate per la corsa ma decisamente
divertite per quello che succedeva.

Le finestre che si affacciavano sulla strada si spalan-
carono e a ogni porta comparve una cameriera o un mag-
giordomo. Anche loro avevano diritto di divertirsi!

Nel frattempo, un anziano signore cercava di farsi
largo fra i rottami della prima carrozza. In molti si pre-
cipitarono ad aiutarlo, tirandolo chi da una parte e chi
dall'altra. Forse avrebbe preferito fare da solo, perché
certo avrebbe fatto più in fretta. Digory era sicuro che
fosse lo zio Andrew, ma non riusciva a vederlo bene: il
cappello a cilindro gli era completamente calato sulla
faccia.

Digory corse fuori e si unì alla folla.

— Eccola, eccola, è lei! — gridò l'uomo grasso indicando Jadis. — Avanti, signor agente, faccia il suo dovere. Ha sottratto al mio negozio merce per migliaia di
sterline. Vede la collana di perle che porta al collo? Be',
è mia. Quando ho cercato di riprendermela, la... ehm,
signora mi ha fatto un occhio nero.

Questo mi sembra veramente troppo.

— È tutto vero, capo — gridò uno in mezzo alla folla. — È uno degli occhi neri più belli che abbia mai visto. Mmm, dev'essere in gamba, la ragazza. E che
forza!

— Signore, segua il mio consiglio. Metta una bistecca di manzo sull'occhio e le passerà subito. Me ne intendo, io — intervenne un garzone di macellaio.

— Allora — esordì il poliziotto di grado più elevato — cosa sta succedendo?

— Come le dicevo, quella… — attaccò l'uomo grasso, ma qualcuno tra la folla lo interruppe.

— Attenti, non lasciatevi scappare il tipo nella carrozza. È tutta colpa sua.

"Il tipo" era certamente zio Andrew. Era riuscito a mettersi in piedi e si massaggiava le ammaccature.

— Allora — si spazientì il poliziotto, girandosi verso di lui — vuole spiegarmi cosa succede?

— Buf, bof, puff puff. — Zio Andrew emetteva strani suoni da sotto il cappello.

— Basta, adesso — ordinò il poliziotto, severo. — Non mi sembra che ci sia da ridere. Avanti, si tolga il cappello dalla faccia.

Era più facile a dirsi che a farsi, ma dopo che zio Andrew ebbe lottato a lungo col cappello, gli vennero in aiuto due poliziotti che riuscirono a tirarlo su afferrandolo per la tesa.

— Grazie, grazie — disse in tono sommesso lo zio. — Grazie di nuovo. Io… sono letteralmente sconvolto. Se qualcuno fosse tanto gentile da offrirmi un goccio di brandy…

— Mi stia bene a sentire — tuonò il poliziotto, tirando fuori un grandissimo taccuino e una matita. — È affidata a lei, la signorina?

— Attento! — gridarono i presenti all'unisono. Istintivamente il poliziotto fece un passo indietro: per for-

tuna, perché il cavallo gli avrebbe sferrato un calcio tale da mandarlo direttamente all'altro mondo. A quel punto la strega girò il cavallo, in modo da fronteggiare la folla stando sul marciapiede.

Brandiva un lungo coltello dalla lama scintillante con cui aveva lavorato a lungo per liberare il cavallo intrappolato ai rottami della carrozza.

Digory, dal canto suo, faceva di tutto per cercare di avvicinarsi alla strega e toccarla. Non era una cosa facile perché, dalla sua parte, c'era troppa gente a ostacolargli il cammino e per passare dal lato opposto avrebbe dovuto infilarsi tra gli zoccoli del cavallo e la recinzione del giardino. Ora, se vi intendeste di cavalli e aveste notato in quale stato si trovasse quell'esemplare, capireste che per Digory era molto pericoloso seguire il suo piano. Grande intenditore di cavalli, Digory se ne rendeva conto ma strinse i denti e si preparò a scattare appena si fosse presentato il momento favorevole.

Un uomo dalla faccia rubizza che indossava un cappello a bombetta si fece largo a spallate attraverso la folla.

— Ehi, agente — esordì. — Quel cavallo è mio. E anche la carrozza sfasciata.

— Uno alla volta, per favore, uno alla volta — disse il poliziotto.

— Ma non c'è tempo da perdere — replicò il vetturino.

— Quel cavallo io lo conosco bene, sa! Non è una bestia come le altre. Suo padre apparteneva a un ufficiale di cavalleria ed era un cavallo da battaglia. Se quella signorina continua a incitarlo, qui fra poco ci scappa il morto. Avanti, si faccia da parte, devo riportarmelo a casa.

Il poliziotto fu ben lieto di allontanarsi da quella bestia tanto pericolosa. Il cocchiere si avvicinò, lanciò un'occhiata a Jadis e le si rivolse con cortesia: — Adesso me lo faccia prendere per la testa, lei venga giù. Queste situazioni non sono adatte a una signora, non è d'ac-

cordo? Sono convinto che preferirà andarsene a casa,
bere una bella tazza di tè e stare tranquilla. Vedrà come
si sentirà meglio. — Il cocchiere allungò la mano verso il cavallo, chiamandolo per nome. — Avanti, Fragolino, avanti, vecchio mio. Vieni qui da me, vieni. Buono, eh, buono…

La strega parlò per la prima volta. — Cane miserabile! — disse con una voce gelida e chiara che sovra-
stava ogni rumore. — Togli subito le mani dal destrie-
ro reale. Hai di fronte a te l'imperatrice Jadis!

— E così saresti un'imperatrice. Oh, bella questa — esclamò una voce tra la folla. Poi qualcuno aggiunse: — Tre evviva per la grande imperatrice! — Molti si unirono a lui. La strega si illuminò e accennò perfino un inchino. Ma alla fine dei tre evviva, tutti scoppiarono a ridere a crepapelle e Jadis si accorse che la prendevano in giro. La sua espressione cambiò improvvisamente e il coltello passò dalla mano destra alla sinistra. Poi, senza preavviso, la strega fece qualcosa di terribile. Come se fosse la cosa più naturale del mondo, allungò il braccio destro e staccò un'asta di ferro dal lampione: se anche aveva perduto i poteri magici, lo stesso non si poteva dire della sua forza. La gente era sbalordita, quella donna riusciva a spezzare un'asta di ferro come fosse un bastoncino di zucchero candito! Jadis brandì la nuova arma nell'aria e incitò il cavallo.

"Adesso tocca a me" pensò Digory, buttandosi fra la cancellata e il cavallo. Se la bestiaccia si fosse calmata, avrebbe afferrato la strega per un tallone... Stava ancora correndo quando sentì il rumore di qualcosa che si rompeva, seguito da un colpo sordo. La strega aveva appena colpito un poliziotto con l'asta. Per fortuna l'uomo aveva in testa l'elmetto, ma cadde lungo disteso come un birillo.

— Avanti, Digory, dobbiamo fermarla — lo incitò una voce accanto a lui. Era Polly, corsa in strada appena la mamma le aveva dato il permesso di uscire dalla sua camera.

— Mancavi solo tu — la salutò Digory. — Tieniti stretta a me e sta' bene attenta all'anello. Quello giallo, bada bene. Ma non metterlo prima che ti dia il via. Ci fu un altro colpo sordo e un secondo poliziotto cadde sul selciato, gambe all'aria. Adesso la folla rumoreggiava: — Basta, fatela smettere, è ora di finirla! Tiratele delle pietre, chiamate l'esercito! — Ma tutti si tenevano il più possibile alla larga. Solo il vetturino, che come avrete capito era il più coraggioso e garbato di tutti, continuava a tenersi vicino al cavallo, facendo del suo meglio per schivare i colpi che Jadis tentava di sferrargli con la spranga di ferro, mentre lui cercava di tenere Fragolino per la testa.

La folla continuò a imprecare e a rumoreggiare. Una pietra volò proprio sulla testa di Digory, poi la strega cominciò a gridare con voce così potente e squillante che pareva una campana a festa. Digory ebbe l'impressione che si divertisse un mondo.

— Razza di gentaglia! Quando vi avrò conquistati

pagherete caro tutto questo. Distruggerò la vostra città pietra dopo pietra. Seguirete la stessa sorte di Charn, di Felinda, di Sorlois e di Bramandin.

Finalmente Digory riuscì ad afferrare la strega per la caviglia, ma quella, spingendo indietro il tallone, gli sferrò un calcio proprio in bocca. Il dolore fu tale che Digory lasciò andare la presa: aveva un grosso taglio sul labbro e la bocca sporca di sangue.

Vicinissime, arrivarono le grida tremanti di zio Andrew: — Signorina… giovane amica, la prego, cerchi di comporsi. — Digory tentò ancora di afferrarla, stavolta per i talloni, ma Jadis riuscì nuovamente a liberarsi. Intanto continuava imperterrita a stendere i presenti con l'asta di ferro. Al terzo tentativo Digory le afferrò il calcagno, lo tenne stretto più che poteva e gridò a Polly: — Vai! — Sì, stavolta c'era riuscito. I volti contratti e impauriti scomparivano a uno a uno, il silenzio si era sostituito al tumulto della folla. Non si sentivano voci, tranne quella di zio Andrew. Accanto a Digory, avvolto nelle tenebre, lo zio continuava a lamentarsi: — Sto delirando? È arrivata la fine? No, non potrei sopportarlo. Non è giusto. Io… io non ho mai voluto fare il mago. Non sono un mago, c'è stato un malinteso. È tutta colpa della mia madrina. Protesterò, qualcuno dovrà pure ascoltarmi. Nelle mie condizioni di salute, poi… E dire che provengo da un'antica famiglia del Dorsetshire.

"Accidenti!" pensò Digory. "Non avevo nessuna intenzione di portarlo con noi. Ma che bella festa!" Poi, ad alta voce: — Ehi, Polly, ci sei?

— Sì, sono qui. Non continuare a spingere, per favore.

— Guarda che non spingo — replicò Digory. Ma prima di poter aggiungere qualcosa, sbucarono nella foresta verde, accogliente e assolata.

Non appena uscirono dallo stagno, Polly gridò: — Guarda, Digory! Abbiamo portato il cavallo con noi. E anche il signor Ketterly. C'è persino il cocchiere. Questa sì che è stata una bella pesca.

Non appena la strega si rese conto di essere tornata nella Foresta di Mezzo, si fece pallida e cominciò ad accasciarsi, fino a che il viso sfiorò la criniera del cavallo: si vedeva che stava molto male. Zio Andrew tremava. Fragolino, invece, scosse la testa, lanciò un nitrito e sembrò sentirsi subito meglio. Si era finalmente acquietato e le orecchie, prima abbassate all'indietro, erano ritornate nella posizione originaria, ben dritte sulla testa e gli occhi non più fiammeggianti.

— Va tutto bene, vecchio mio — disse il vetturino, carezzandolo sul collo. — Va tutto benissimo, stai tranquillo.

E Fragolino fece la cosa più naturale del mondo. Visto che aveva una gran sete (non c'era da meravigliarsene), s'incamminò verso lo stagno più vicino e ci entrò per dissetarsi. Digory teneva ancora ben stretto il calcagno della strega e Polly non aveva mai lasciato la mano di Digory. Il vetturino, dal canto suo, teneva una mano sulla criniera di Fragolino e zio Andrew, ancora tremante, gli aveva afferrato l'altra, senza mollarla.

— Presto — esclamò Polly, lanciando un'occhiata a Digory.

— Presto, l'anello verde!

Così il povero Fragolino non poté dissetarsi. Tutta la

comitiva si trovò immersa nelle tenebre, il cavallo cominciò a nitrire e zio Andrew a piagnucolare. Digory si lasciò sfuggire un: — Questa sì che è una fortuna!

Ci fu una breve pausa, quindi Polly disse: — Non dovremmo essere nelle vicinanze, ormai?

— Ci troviamo già da qualche parte. Per lo meno mi sembra di stare su una superficie solida — rispose Digory.

— A pensarci bene, anch'io ho la stessa sensazione. Ma perché è così buio? Digory, credi che siamo entrati nello stagno sbagliato?

— Può darsi che siamo proprio a Charn. Forse l'abbiamo raggiunta nel cuore della notte.

— Questa non è Charn — intervenne la strega. — È un mondo vuoto, è il nulla.

E in effetti si trattava di un luogo indefinito come il nulla. Non c'erano stelle, il buio era così fitto che non riuscivano a vedersi l'uno con l'altro, tanto che sembrava inutile tenere gli occhi aperti. Sotto i piedi avevano una superficie fredda e piatta, che poteva anche essere terra; certo non era erba o legno. L'aria era fredda e asciutta e non spirava un alito di vento.

— La mia ora è giunta — disse la strega con una voce che avrebbe fatto rabbrividire chiunque.

— Non parli così, signorina — balbettò zio Andrew. — La prego, non dica certe cose. Non è poi tanto male, qui. Vetturino, ehi, vetturino, non hai con te una fiaschetta di brandy? Un goccio è proprio quello che ci vuole.

— Un momento, un momento — rispose il vetturino con voce ferma e sicura. — Cerchiamo di mantenere la calma. Allora, tutto bene? Ossa rotte, no? Meglio così. Bisogna dire che siamo stati fortunati. Voglio dire, dopo un tale salto… Ma cerchiamo di analizzare le varie possibilità. Se siamo caduti dentro una delle stazioni della metropolitana che stanno costruendo, come credo, di sicuro qualcuno verrà a tirarci fuori. Se invece siamo morti, e questa è un'altra possibilità, è inutile cadere nella disperazione. Prima o poi tutti dobbiamo morire, non dimenticatelo. E se uno s'è comportato bene in vita, non ha nulla da temere. Ora, per come sono fatto io, credo che la cosa migliore, per passare il tempo, sia mettersi a cantare un inno.

Detto fatto, il vetturino intonò un canto di quelli che risuonano nelle chiese durante le feste di ringraziamento per il raccolto. Questo, in particolare, aveva come tema il raccolto "che viene messo in salvo". Non era certo il più adatto a un luogo tanto desolato, che non doveva aver visto un raccolto fin dalla notte dei tempi, ma era quello che il cocchiere conosceva meglio. L'uomo aveva una bella voce e in breve i ragazzi si unirono a lui. Lo zio Andrew e la strega non seguirono l'esempio.

Quando il canto finì, Digory sentì che qualcuno lo tirava per il gomito: dall'odore di brandy, sigari e abiti curati doveva trattarsi di zio Andrew. L'uomo lo portò in disparte, con fare guardingo, e sussurrò: — Avanti, ragazzo, tira fuori l'anello. Andiamocene di qui.

Ma lo zio aveva sottovalutato la strega, che aveva un udito a dir poco perfetto.

— Stolto! — gridò, balzando da cavallo. — Hai dimenticato che posso intercettare i pensieri degli uomini? Lascia andare il ragazzo. Se solo osi pensare di tradirmi, la mia vendetta sarà così terribile che ne parleranno in ogni mondo.

— E — aggiunse Digory — se pensi che io sia così meschino da abbandonare Polly, il vetturino e il cavallo, ti sbagli proprio.

— Sei dispettoso e impertinente — ribatté lo zio.

— Silenzio — intimò il cocchiere.

Tutti tacquero e ascoltarono.

Nel buio accadde qualcosa. Si sentì un canto provenire da lontano, e per quanto Digory si sforzasse di capire da dove, non ci riuscì. Una volta sembrava arrivare da tutte le direzioni, un'altra da sotto terra: le note più basse erano così profonde che avrebbe potuto produrle la terra stessa. Era una melodia senza parole e senza ritornello, ma nonostante questo pareva la musica più bella che avessero ascoltato. Era tanto emozionante che si faceva fatica a seguirla e Fragolino ne sembrava entusiasta: emise uno di quei nitriti che un cavallo lancerebbe se, dopo anni di servizio tra le stanghe di una carrozza, facesse improvvisamente un salto nel tempo e si trovasse nel prato dove giocava quando era ancora un puledro, e come per incanto riconoscesse l'adorato padrone di un tempo, quello che attraversava il campo per regalargli uno zuccherino.

— Santo cielo — disse il cocchiere — non è incantevole?

Poi accaddero due cose inspiegabili. Innanzitutto, alla prima voce se ne unirono altre, più di quelle che potreste immaginare. Erano in armonia con la prima ma molto più acute: voci fredde e argentine. La seconda cosa che sorprese i nostri amici fu che il cielo nero si fece trapunto di stelle. Ma le stelle non comparvero a una a una, timidamente, come succede nelle sere d'estate. Si mostrarono tutte insieme là dove un istante prima c'era l'oscurità più profonda: migliaia di fonti di luce, punti sfolgoranti che comprendevano stelle singole, costellazioni, pianeti più grandi e splendenti che nel nostro cielo. Non c'erano nuvole. Le nuove stelle comparvero insieme alle voci che cantavano la sublime melodia. Se aveste avuto la fortuna di assistere a uno spettacolo del genere, come Digory, avreste certamente pensato che fossero le stelle a cantare e che fosse stata la prima voce, quella profonda, a farle apparire e a dar l'ordine di intonare l'inno.

— Caspita! — esclamò il vetturino. — Sarei stato più buono, in vita, se avessi saputo di questa meraviglia.

La voce della terra si era fatta più forte, trionfante, mentre le voci del cielo, dopo averla accompagnata a lungo, si fecero sempre più deboli. Ma non è finita qui.

Lontano, sulla linea dell'orizzonte, l'aria cominciò ad assumere un colore grigiastro, mentre si levava un venticello fresco. Il cielo, proprio in quel punto, si fece sempre più chiaro e un profilo di colline vi si stagliava contro. La voce, intanto, continuò a cantare.

Presto ci fu luce sufficiente da permettere ai nostri amici di vedersi. Il vetturino e i due bambini erano a bocca aperta, gli occhi che brillavano per lo stupore e la magnificenza del paesaggio. Anche zio Andrew aveva la bocca aperta, ma non pareva molto felice di esserci e sembrava che il mento gli si fosse momentaneamente staccato dal resto della faccia. Aveva le spalle curve e le ginocchia che vacillavano: la voce non gli piaceva e se avesse potuto fuggire attraverso la tana di un topo, vi posso assicurare che lo avrebbe fatto.

La strega sembrava l'unica ad aver compreso il significato del canto: se ne stava a bocca chiusa, le labbra quasi incollate, e teneva i pugni stretti. Fin dall'inizio aveva capito che in quel mondo dominava una magia diversa e più potente della sua, cosa che non poteva sopportare. Se fosse stato necessario avrebbe distrutto quello e tutti gli altri mondi, pur di far cessare la nenia. Fragolino, dal canto suo, teneva le orecchie belle dritte e frementi, e ogni tanto sbuffava picchiando gli zoccoli sul terreno. Era fiero e maestoso, e guardandolo non avreste detto che un tempo avesse trainato una carrozza. Ora sì che sembrava figlio di suo padre!

Il cielo bianco dell'est si colorò di rosa, poi divenne dorato. La voce era sempre più alta, fino a che l'aria non cominciò a vibrare. Quando la melodia arrivò al culmine della potenza e della gloria, il sole spuntò.

Digory non ne aveva mai visto uno simile. Il sole che illuminava le rovine di Charn sembrava più antico del nostro: questo, al contrario, era più giovane. Nel sorgere rideva di gioia, e quando i raggi bagnarono la terra di luce i viaggiatori conobbero finalmente il luogo che li ospitava. Era una valle percorsa da un grande fiume che scorreva in direzione del sole. A sud c'erano montagne e a nord dolci colline. Ma nella valle non c'erano alberi né cespugli, e neppure un filo d'erba. La terra era ricca di colori brillanti, caldi, luminosi, e i nostri amici ne furono affascinati, almeno fino a quando

videro colui che cantava, perché allora dimenticarono tutto il resto.

Era un leone. Immenso, irsuto e luminoso, stava di fronte al sole appena sorto e aveva la bocca aperta nel canto. Si trovava a trecento metri da loro.

— Questo mondo è terribile — disse la strega. — Dobbiamo andarcene subito. Via con l'incantesimo!

— Signora, lei mi trova perfettamente d'accordo — rispose zio Andrew. — Che luogo spiacevole e sommamente incivile. Se fossi ancora giovane e potessi imbracciare un fucile…

— Vecchio pazzo. Non penserai di poterlo uccidere, vero?

— E chi oserebbe mai — intervenne Polly.

— Stupido, via con l'incantesimo, ho detto — gridò la strega.

— Certo, signora — rispose zio Andrew, mentre un lampo balenava nei suoi occhi. — Devo farmi toccare dai ragazzi. Da tutti e due. Digory, per favore, infila al dito l'anello del ritorno. — Lo zio voleva tornare a casa senza la strega: mi pare chiaro, no?

— Oh, ma allora sono anelli! — gridò Jadis, e in un batter d'occhio avrebbe messo le mani nelle tasche del ragazzo se prima Digory non avesse afferrato Polly. Poi intimò: — Sta' bene attenta, Jadis. Fai ancora un passo avanti e Polly e io ci volatilizzeremo, così resterai qui sola per sempre. È vero, in tasca ho un anello che porterà Polly e me a casa. Attenzione, sto per metterlo al dito: ti consiglio di stare alla larga. Mi spiace per te, cocchiere, e anche per il cavallo, ma non posso farci nulla. Quanto a voi due — continuò, rivolto allo zio Andrew e alla strega — visto che siete due maghi, starete senz'altro bene insieme.

— Non fate chiasso — intervenne il cocchiere. — Voglio ascoltare la musica nuova.

Il vetturino aveva ragione. Ora il canto era diverso.

Il leone andava avanti e indietro per la terra deserta, cantando la nuova canzone. Era un canto più dolce e melodioso di quello con cui aveva richiamato le stelle e il sole; era una musica gentile e carezzevole. E mentre il leone camminava e cantava, l'erba tingeva la valle di verde. Crescendo intorno al leone come una polla d'acqua che si allarga a vista d'occhio, risaliva i pendii delle collinette simile a un'onda; in pochi minuti raggiunse le pendici delle montagne più lontane, rendendo via via più dolce il giovane mondo. Adesso si sentiva perfino il vento che carezzava l'erba.

A poco a poco, spuntarono altre cose. Le pendici più alte si coprirono d'erica e nella valle comparvero macchie irregolari di un verde meno uniforme. Digory non si rese ben conto di cosa si trattasse fino a quando la vegetazione non cominciò a spuntare vicino a lui. Era una cosina appuntita che cresceva di alcuni centimetri al secondo, emettendo dozzine di propaggini che si coprivano a mano a mano di verde. Adesso Digory era completamente circondato, e appena si fecero alte almeno quanto lui, il ragazzo esclamò, sorpreso: — Alberi... sono alberi!

Il vero peccato, osservò Polly in seguito, era che non potevi startene tranquillo ad ammirare quello che succedeva intorno a te. Digory non aveva ancora finito di esclamare: «Alberi!» che dovette fare un balzo indietro, perché zio Andrew si era avvicinato con la speranza di cacciargli la mano in tasca. Comunque, anche se ce l'avesse fatta, non gli sarebbe andata così bene. Lo zio era ancora convinto che gli anelli verdi fossero quelli del ritorno e il suo obiettivo era la tasca destra della giacca di Digory. Ma il ragazzo, che non intendeva perdere nemmeno gli anelli verdi, stava bene all'erta.

— Fermo! — gridò la strega. — Sta' indietro. No, ancora più indietro. Se qualcuno osa avvicinarsi a uno dei bambini, giuro che gli spappolo il cervello. — La strega brandiva l'asta di ferro che aveva staccato dal lampione ed era pronta a usarla. E nessuno dubitava che avrebbe colpito nel segno.

— Così vorresti tornare nel tuo mondo con il ragazzo e lasciarmi qui, vero? — gridò ancora Jadis.

Stavolta zio Andrew le rispose per le rime, mettendo per una volta da parte la paura che lo attanagliava. — Ha detto bene, signora. Senza dubbio, voglio tornare nel mio mondo. E, se mi consente, credo di averne ogni diritto. Sono stato trattato in maniera abominevole e vergognosa! Ho fatto di tutto per colmarla di cortesie, e lei come mi ha ripagato? Ha rubato, e sottoli-neo la parola, *rubato* in una gioielleria. Mi ha costretto a offrirle un *costosissimo* pranzo, e se mi consente insi-sto sul costosissimo. Per saldare il conto ho dovuto im-pegnare l'orologio con la catena: nessuno, nella mia fa-miglia, ha mai frequentato abitualmente il monte di pietà, tranne mio cugino Edward che però faceva par-te delle guardie del re. Dunque, durante quel pranzo per me così indigesto e di cui sto ancora pagando le conseguenze, il suo comportamento e il suo vocabola-rio hanno attratto la sfavorevole attenzione dei com-mensali presenti. Lei ha arrecato un danno alla mia re-putazione, signora, al punto che non avrò mai più il coraggio di farmi vedere in quel ristorante. Per non par-lare dei poliziotti che ha assalito e...

— La smetta, capo — intervenne il vetturino. — La smetta di parlare e guardi e ascolti cosa succede, per favore. Come sempre, il cocchiere aveva ragione. C'era-no tante cose da guardare e ascoltare!

L'albero che Digory aveva notato poco prima aveva assunto la forma e le dimensioni di un grosso faggio, con i rami dolcemente mossi sulla testa del ragazzo. Adesso tutta la compagnia si trovava su una fresca di-stesa d'erba, dove qua e là spuntavano margherite e botton d'oro. Poco più distante, lungo la riva del fiume, stavano crescendo dei salici. Sulla riva opposta si pote-vano ammirare grovigli di uva spina in fiore, lillà e rose canine vicino a dei magnifici rododendri. Fragolino si riempiva golosamente la bocca di erbetta deliziosa.

Intanto il leone continuava a camminare su e giù, avanti e indietro, senza mai cessare il canto, e a ogni giro si faceva più vicino ai nostri amici, incutendo loro una certa paura. Da parte sua, Polly trovava che la canzone del leone fosse sempre più interessante, perché le pareva che ci fosse un legame fra la musica e le cose che accadevano. Fu del tutto convinta di questo quando, a un centinaio di metri, una fila di abeti comparve su un crinale, accompagnata da note acute e prolungate. Quando il leone eseguì una rapida serie di note più lievi, Polly non si stupì affatto nel vedere le primule

spuntare dappertutto. Così, per un'inspiegabile sensazione, Polly fu certa che tutto ciò che nasceva nel giovane mondo uscisse «dalla testa del leone» – come disse in seguito – «perché, quando ascoltavi la sua canzone, sentivi quello che creava: poi ti guardavi intorno e ammiravi con i tuoi occhi.»

Era tutto così eccitante che Polly non perse tempo ad avere paura. Digory e il cocchiere, invece, non sembravano del tutto tranquilli, perché il leone continuava ad avvicinarsi. Quanto allo zio Andrew, non faceva che battere i denti ma non poteva scappare perché gli tremavano le ginocchia.

Improvvisamente, la strega affrontò il leone. La magnifica bestia avanzava con passo lento e pesante, seguitando a cantare. Ormai era a una decina di metri da Jadis, che brandì la solita asta di ferro e la lanciò contro il leone.

Nessuno, e tantomeno Jadis, avrebbe potuto mancare il bersaglio a distanza così ravvicinata. L'asta colpì il leone proprio in fronte, in mezzo agli occhi, e ricadde a terra. Il leone proseguì nel suo cammino esattamente come prima, senza rallentare né accelerare il passo. Si sarebbe detto che non si fosse neppure accorto di essere stato colpito. Anche se il passo felpato non faceva rumore, si sentiva la terra tremare sotto il suo peso.

La strega gridò, corse via e in pochi secondi scomparve fra gli alberi. Zio Andrew cercò di fare lo stesso, ma inciampò in una radice e rovinò a terra, la faccia in un ruscello che poco più in là si univa al grande fiume. I ragazzi, invece, non si mossero affatto e forse non avevano neppure voglia di farlo. Il leone non li degnò di uno sguardo: le sue fauci enormi erano spalancate, ma per cantare, non per mordere. Passò così vicino ai nostri amici che, se non avessero avuto paura, avrebbero potuto accarezzargli la criniera. Adesso anche Polly e Digory erano spaventati: temevano che il leone si voltasse a guardarli, anche se in un certo senso era proprio

quello che volevano. La bestia, invece, non li conside-
rò affatto, come se fossero trasparenti e senza odore.
Dopo averli superati il leone tornò indietro, ripassò davanti a loro e proseguì la sua marcia verso est.

Zio Andrew si rialzò, tossendo e sputacchiando.

— Andiamo, Digory, è il momento adatto. Ci siamo
liberati di quella donna e il terribile leone se n'è andato... Su, dammi la mano e infila l'anello senza perdere
tempo.

— Stai alla larga — ribatté Digory, indietreggiando.
— Polly, attenta, tieniti lontana da lui...Vieni qui. E ora
ti avverto, zio. Non fare un solo passo in avanti, o Polly e io ce ne andremo.

— Fai quello che ti ho appena detto, giovanotto —
ordinò lo zio. — Sei un ragazzo molto disobbediente e
maleducato.

— Non temere — disse Digory. — Vogliamo rima-
nere qui per vedere cosa succede. Credevo che fossi an-
sioso di avere notizie sugli altri mondi... Ma dimmi la
verità, ora che ci sei non ti piace, eh?

— Piacermi! Guarda in che condizioni mi trovo. E
questo era il mio abito buono. — In effetti non aveva
tutti i torti: era proprio brutto a vedersi, povero zio Andrew. Del resto, più sei vestito con eleganza e ricerca-
tezza, peggio ti riduci dopo essere stato scaraventato
da una carrozza o essere caduto in un ruscello. — Non
dico che questo posto non sia interessante. Da giovane non avrei certamente perso tempo, e tanto per co-
minciare avrei portato qui un po' di gente ben equi-
paggiata. Avrei organizzato un... come li chiamano?
Un safari. Questo paese ha senz'altro buone risorse. Il

clima è delizioso, tanto che non ho mai respirato aria migliore. In definitiva, caro nipote, sostengo che ci sarei stato bene, ma in altre circostanze. Ah, se avessimo un fucile!

— Ma che fucile e fucile — sbottò il cocchiere. — Vado a vedere se mi riesce di dare una bella strigliata a Fragolino, perché se la merita proprio. A volte penso che quel cavallo sia più saggio di certi uomini... — Il cocchiere si avviò verso Fragolino e prese a fischiettare allegramente, come fanno spesso i mozzi di stalla.

— Zio, pensi davvero che si possa uccidere un leone come quello con un colpo di fucile? Non si è nemmeno accorto della sbarra...

— Nonostante i suoi errori — disse zio Andrew — quella ragazza ha del fegato e ha fatto una cosa coraggiosa. — Cominciò a strofinarsi le mani e a far schioccare le nocche, come se ancora una volta avesse dimenticato la paura che gli incuteva la presenza della strega.

— È stata un'azione malvagia, invece — intervenne Polly. — Che male le aveva fatto, il leone?

— Ehi, e questo cos'è? — esclamò Digory, che era corso a vedere qualcosa a pochi metri da lui. — Polly, vieni a dare un'occhiata.

Anche zio Andrew seguì Polly. Non che gli interessasse quello che Digory aveva da mostrare, ma voleva restare vicino ai ragazzi nella speranza di riuscire, prima o poi, a rubare gli anelli. Quando vide di cosa si trattava, si fece attento anche lui. Era un lampione in miniatura, alto circa un metro, che cresceva a vista d'occhio, proprio come gli alberi qualche minuto prima.

— È vivo, è vivo! Voglio dire, è acceso — esclamò Digory. E aveva ragione. Il lampione era acceso, anche se la luce sfolgorante del sole rendeva la piccola fiamma quasi invisibile, a meno di non farle ombra con il corpo.

— Interessante, davvero interessante — borbottò zio Andrew. — Non ho mai pensato che con la magia si potessero raggiungere tali risultati. Ci troviamo in un mondo dove ogni cosa, perfino un lampione, può nascere e crescere. Mi domando che tipo di seme bisogna piantare, per…

— Ma non capisci? — esclamò Digory. — Proprio qui è caduta l'asta di ferro, l'asta che Jadis aveva staccato dal lampione. Si è conficcata nel terreno e si è trasformata in un lampioncino. — Non piccolissimo, ormai, perché aveva già raggiunto l'altezza di Digory.

— È vero. È una cosa stupenda, stupenda — esclamò zio Andrew, fregandosi le mani più del solito. — E pensare che tutti si sono sempre presi gioco della mia magia. Quella sciocca di mia sorella pensa che sia pazzo. Mi domando cosa diranno, adesso. Ho appena scoperto un mondo dove tutto può nascere e crescere. Colombo, parlano sempre di Colombo, ma cos'è l'America di fronte a una terra come questa? Le possibilità di sfruttamento economico e commerciale sono illimitate. Basterà procurarsi del ferro vecchio, piantarlo e nasceranno locomotive, navi da guerra, tutto quello che si vuole. Non mi costeranno nulla e potrò rivenderle in Inghilterra a prezzo intero. Diventerò milionario, lo so. E cosa dire del clima? Mi sento già molto, molto più giovane. Potrei aprire una bella casa di salute. Dovrebbe fruttare almeno ventimila sterline l'anno. Certo, sarei costretto a svelare il segreto a poche persone fidate e fedeli. Comunque, per prima cosa bisogna sopprimere quella bestiaccia.

— Sei come la strega — disse Polly. — Tu pensi solo a distruggere.

— Per quanto riguarda la mia modesta persona — proseguì lo zio, ormai in preda a un'euforia totale — non riesco a immaginare quanto a lungo vivrei, se mi trasferissi qui. Non è una considerazione da poco, quando si è superata la soglia dei sessant'anni. Non mi sorprenderebbe affatto se non invecchiassi neppure di un giorno, in questo paese. Fantastico! È la terra dell'eterna giovinezza.

— Oh! — esclamò Digory. — La Terra della Giovinezza... Lo pensi davvero? — Il ragazzo non aveva dimenticato la conversazione fra zia Letty e la signora che aveva offerto l'uva, e nei suoi occhi brillava la luce della speranza. — Zio Andrew, credi che troveremo qualcosa per far guarire mia madre?

— Ma cosa dici, non siamo in una farmacia. Dunque, come dicevo...

— Non ti importa niente di lei! — sbottò Digory. — Perché, perché sei tanto cattivo? Dopotutto non è soltanto mia madre, è anche tua sorella! Non importa. Chiederò aiuto al leone.

Digory si voltò di scatto e si allontanò. Polly rimase per un attimo a guardarlo, poi lo seguì.

— Fermo, figliolo, torna qui. Ti ha dato di volta il cervello? — gridò zio Andrew. Seguì i due bambini a una distanza, diciamo così, di sicurezza, perché non voleva allontanarsi troppo dagli anelli magici né avvicinarsi al leone più del necessario.

In pochi minuti Digory raggiunse il limitare del bosco e si fermò. Il leone proseguiva nel suo canto, ma la canzone era cambiata un'altra volta: un motivo unico, sempre lo stesso, stavolta più tempestoso. Ascoltandolo veniva voglia di saltare, di scalare montagne, di gridare, di raggiungere qualcuno e abbracciarlo o lottare con lui. Su Digory ebbe l'effetto di farlo diventare rosso in faccia e febbricitante. Quanto a zio Andrew, cominciò a ripetere: — Una ragazza coraggiosa, signore. Peccato che abbia un brutto carattere. Ma è una gran donna lo stesso. Oh, che donna!

Ma l'effetto della melodia sugli esseri umani era niente al confronto di quello che poteva sulla terra.

Riuscite a immaginare una distesa d'erba che si metta a bollire come l'acqua nella pentola? Vi sembra strano? Eppure la mia descrizione calza a pennello. Qua e là si formarono montagnole, alcune simili a quelle delle talpe, altre grandi come una carriola e due addirittura quanto una casetta. Le protuberanze si muovevano e scuotevano fino a scoppiare, e da ognuna veniva fuori un animale.

Le talpe fecero capolino come al solito; i cani sbucarono di testa e cominciarono ad abbaiare e a divincolarsi, come quando rimangono imprigionati nel varco stretto di una siepe. I più bizzarri furono i cervi, perché naturalmente misero fuori le corna e poi il resto, e all'inizio Digory pensò che le corna fossero alberi. Le rane, che spuntarono vicino alle rive del fiume, entrarono saltellando nell'acqua con un sonoro gracidio. Pantere, leopardi e altri felini si accucciarono immediatamente per ripulirsi della terra che era rimasta attaccata al pelo, poi affilarono gli artigli sugli alberi. Non potevano mancare gli uccelli, che uscivano a stormi dalle fronde. E mentre le farfalle volavano spensierate, le api cominciarono solerti a saccheggiare i fiori, come se non avessero tempo da perdere. Ma il momento più emozionante fu quando la collinetta più grande si spaccò, come durante un terremoto, e si cominciò a vedere la schiena dell'elefante, seguita dalla testa enorme e prudente; infine uscirono le quattro immense zampe che sembravano calzoni raggrinziti.

Adesso la canzone del leone si udiva appena, perché si confondeva in mezzo a tutto quel gracchiare, tubare, gracidare, ragliare, nitrire, abbaiare, muggire, belare e barrire.

Ma anche se non sentiva il canto del leone, Digory poteva ancora vedere la bestia. Era enorme e fulgida, una creatura magnifica da cui il ragazzo non riusciva a staccare gli occhi. E gli altri animali non ne avevano paura. A un certo punto Digory sentì alle spalle un rumore di zoccoli, e dopo un secondo Fragolino gli

passò davanti, al trotto, per unirsi agli altri animali.

Infine il leone tacque e cominciò a camminare avanti e indietro, in mezzo alle bestie. Di tanto in tanto (la cosa sorprese non poco Digory) si avvicinava a due di esse – sempre due alla volta, un esemplare maschio e un esemplare femmina – e strusciava il naso contro il loro. Scelse due castori fra i castori, due leopardi fra i leopardi, un cervo maschio e un cervo femmina fra i cervi e altri animali, tralasciando alcune specie. Le coppie che aveva toccato con il naso lasciarono il loro gruppo all'istante e lo seguirono. Infine si fermò e gli animali prescelti formarono un gran cerchio intorno a lui, mentre gli altri si disperdevano in lontananza.

Le creature prescelte mantenevano un silenzio assoluto e avevano gli occhi puntati sul leone. Solo i felini, di tanto in tanto, muovevano la coda, ma a parte quel piccolo particolare stavano immobili anche loro. Il profondo silenzio era interrotto soltanto dal rumore lieve dell'acqua.

Il cuore di Digory batteva all'impazzata, forse perché sentiva che stava per succedere qualcosa di solen-

ne. Aveva ancora il pensiero rivolto alla mamma, ma
sapeva che doveva pazientare nell'interesse di lei e non
interrompere gli avvenimenti.

Il leone, che non batteva mai le palpebre, si rivolse
agli altri animali con occhi severi, come se dovesse in-
cenerirli con lo sguardo. All'improvviso qualcosa cominciò a cambiare: gli animali di taglia più piccola,
come per esempio talpe e conigli, diventarono pian piano più grandi mentre quelli di taglia più grossa, primi
fra tutti gli elefanti, rimpicciolivano gradatamente. Molti animali sedettero sulle zampe posteriori e moltissi-
mi, come se volessero ascoltare meglio, piegarono leggermente la testa di lato. Il leone aprì la bocca, ma non
emise alcun suono: respirò profondamente, un lungo
respiro quasi tiepido che sembrò scuotere le creature
riunite in cerchio come il vento scuote un filare d'alberi. Lontano, dietro la cortina del cielo azzurro, le stelle
cantarono di nuovo: una musica complessa e pura, quasi fredda. Poi comparve un lampo di fuoco, simile a
una saetta. Opera del leone, oppure partorito dal cie-

lo: questo non fu dato saperlo. Il lampo non incenerì nessuno, ma il sangue dei ragazzi fremette al suono della voce più fiera che avessero mai sentito: — Narnia, Narnia, Narnia, svegliati. Ama. Pensa. Parla. Che gli alberi camminino e gli animali parlino. Che le acque siano consacrate.

Quella era la voce del leone. I bambini avevano sempre saputo che prima o poi avrebbe parlato, ma quando lo sentirono provarono un'emozione fortissima.

Dal folto degli alberi fecero capolino dei e dee dei boschi, accompagnati da fauni, satiri e nani. Dalle acque emerse il dio del fiume con le naiadi sue figlie.

E tutte le creature e gli animali, con voci alte o basse, cupe o chiare, salutarono con queste parole: — Salve, Aslan. Abbiamo sentito e ti obbediamo. Noi siamo svegli. Noi amiamo. Noi pensiamo. Noi parliamo e sappiamo.

— Veramente, io vorrei saperne di più — disse una voce nasale in tono gentile. E i bambini sobbalzarono, visto che era stato il cavallo del cocchiere a parlare.

— Bravo Fragolino! — esclamò Polly. — Sono proprio contenta che tu sia stato scelto per diventare un animale parlante. — E il cocchiere, che si trovava accanto ai ragazzi, aggiunse: — Che mi venga un colpo! Però l'ho sempre detto che quel cavallo ha un sacco di buon senso.

— O nobili creature, vi faccio dono di voi stessi — annunciò la voce severa ma lieta di Aslan. — Da ora e per sempre la terra di Narnia vi apparterrà. Ecco, io vi consegno le foreste, i frutti, i fiumi. Vi dono le stelle, vi dono me stesso. Anche le bestie mute che non ho scelto vi appartengono. Trattatele con gentilezza e con amore, ma non ricadete mai nei loro costumi, a meno che non vogliate smettere di essere animali parlanti. Perché voi siete stati scelti fra loro, e fra loro potreste tornare. Vi esorto a non farlo.

— No, Aslan, non lo faremo, non lo faremo — gridarono all'unisono. Poi una cornacchia impertinente aggiunse: — Ci puoi giurare. — Intanto avevano finito di osannare Aslan e quelle parole rimbombarono come una grancassa nel silenzio assoluto. Forse vi siete trovati anche voi in una situazione simile, magari a una festa, dove gli ospiti tacciono quando meno te lo aspetti… Comunque, tornando a noi, la povera cornacchia era così imbarazzata che nascose immediatamente il capo sotto l'ala, come se stesse dormendo. Allora gli altri animali emisero strani suoni, che era poi il loro modo di ridere, anche se ovviamente nessuno ha mai sentito una cosa simile nel nostro mondo. Dopo un po' tutte le creature cercarono di darsi un contegno, ma Aslan disse: — Ridete e non abbiate timore. Ora che non siete più muti e privi d'intelletto, non avete bisogno di essere seri. Perché la burla, come la giustizia, va di pari passo con la parola.

Così, finalmente, si sciolsero le righe e gli animali cominciarono ad allontanarsi per conto loro. E nell'aria si poteva respirare una tale felicità che la cornacchia si fece coraggio e andò a posarsi fra le orecchie di Fragolino, dicendo: — Aslan! Aslan! Sono stata la prima a fare una burla? Lo sapranno tutti che sono stata io a fare la prima burla?

— No, piccola amica — rispose il leone — tu non hai fatto la prima burla. Tu sei la prima burla. — Allora tutti scoppiarono a ridere di nuovo, più forte di prima. Anche la cornacchia si unì alle risa, per nulla offesa dalla risposta di Aslan, e rise forte finché Fragolino scosse la testa, facendole perdere l'equilibrio. Stava per ca-

dere a terra quando si ricordò di aver ricevuto in dotazione un bel paio di ali e le aprì in tempo.

— Cari amici, ora che Narnia è nata dobbiamo preoccuparci della sua sicurezza. Chiamerò qualcuno di voi al mio fianco, nel grande consiglio. Vieni avanti, o capo dei nani, e anche tu, dio del fiume. Sarai al mio fianco, grande quercia, e voglio anche te, gufo. Poi i due corvi e l'elefante maschio. Venite, dobbiamo parlare fra noi. Perché il nostro mondo è nato solo da poche ore e già è qui fra noi un essere cattivo.

Le creature che Aslan aveva convocato si fecero avanti e si incamminarono con il leone verso est. Gli altri animali rimasero a chiacchierare fra loro, commentando quello che Aslan aveva appena svelato, e si domandavano: cosa ha detto? Chi è appena entrato nel nostro mondo? Io non ho capito bene, e tu? Ma è possibile che nessuno abbia capito? Mi pare abbia parlato di un catino? Che cos'è un catino? No, ha detto battivo. Sì, battivo!

— Ascolta, Polly — disse Digory — io devo andare con lui. Voglio dire con Aslan, il leone. Devo parlargli.

— Credi che sia possibile? Io non oserei.

— Ma devo farlo, non ho altra scelta. Sai, si tratta della mamma. Se veramente esiste qualcuno che può darmi un rimedio per la sua malattia, questo è Aslan.

— Io vengo con te — intervenne il cocchiere. — Mi piace Aslan. Le altre bestie non cercheranno di fermarci, vedrai. E poi vorrei dire una parola al mio Fragolino.

E così, dopo essersi fatti coraggio, tutti e tre si dressero verso il conciliabolo degli animali.

Le creature erano così impegnate a parlare fra loro e

a fare conoscenza che non si accorsero minimamente dei tre esseri umani, per lo meno fino a quando i nostri amici non li ebbero raggiunti. E non udirono le grida e gli strepiti dello zio Andrew che, rimasto un bel po' indietro con le gambe tremanti, urlava: — Digory, Digory, torna qui! Ubbidisci! Guai a te se fai ancora un passo.

Quando Digory, Polly e il cocchiere si furono uniti agli animali dell'assemblea, le creature tacquero all'improvviso e li guardarono sorpresi.

— Per Aslan, e questi chi sono? — chiese per primo il castoro maschio.

— Scusate — cominciò Digory con voce tremante, ma il coniglio lo interruppe: — Mmm, secondo me appartengono a una specie di lattuga a foglia larga.

— Non proprio — intervenne Polly, precipitosamente.

— Noi non siamo buoni da mangiare.

— Ehi, ma hanno la parola. Avete mai sentito la lattuga parlare? — chiese la talpa.

— Secondo me questa è la seconda burla — suggerì la cornacchia.

Una pantera che proprio in quel momento stava lavandosi la faccia, smise di farlo e disse: — Be', se questa è una burla non mi fa ridere per niente. Volete spiegarmi cos'hanno di buffo, quei tre? — Sbadigliò e tornò a lavarsi.

— Vi prego, ho una tal fretta! Devo vedere immediatamente il leone.

Nel frattempo il vetturino aveva tentato in ogni modo di incrociare lo sguardo di Fragolino. Finalmente ci riuscì. — Fragolino, vecchio mio, mi riconosci? Non puoi startene qui e far finta di nulla.

— Cavallo, perché quella cosa si rivolge a te con simili parole? — chiesero in molti.

— A dire il vero non lo so. Io credo che siamo ancora molto confusi. Però, a pensarci bene, una cosa di questo tipo mi sembra di averla già vista prima. Ho come la sensazione di aver vissuto da qualche parte prima che Aslan ci risvegliasse, pochi minuti fa. Ma è tutto così confuso… come un sogno. E nel sogno ci sono anche queste tre creature — concluse Fragolino, lanciando un'occhiata ai nostri amici.

— Cosa? Non mi riconosci? — protestò il cocchiere. — Hai dimenticato i pastoni che ti preparavo ogni sera, quando eri stanco morto? E tutte le volte che ti ho strigliato per bene? E com'ero pronto a coprirti con la coperta quando eri costretto a stare fermo al freddo? Fragolino, questo da te non me lo sarei mai aspettato.

— Sì, forse qualcosa mi torna alla mente — disse il cavallo, assorto nei suoi pensieri. — Lasciami riflettere. Adesso è tutto più chiaro. Tu mi legavi davanti a un'orribile cosa nera e mi frustavi per farmi correre, e ovunque andassi l'orribile cosa nera non mi abbandonava mai.

— Dovevamo sbarcare il lunario, mio caro — rispose il cocchiere. — Tutti e due. E se non ci fossero stati il lavoro e le frustate, tu non avresti avuto una stalla, la paglia, il tuo pastone quotidiano e neppure l'avena. Perché, se ben ricordi, tutte le volte che me lo potevo permettere ti davo l'avena. E questo non tutti lo fanno.

— Avena? — fece il cavallo, drizzando le orecchie. — Sì, mi sembra di ricordare. Ma certo, ora ricordo. Tu stavi sempre seduto da qualche parte, dietro di me, e io dovevo trainare di corsa l'orribile cosa nera. In pratica, lavoravo soltanto io.

— D'estate, forse, quando me ne stavo seduto al fresco e tu lavoravi sotto il sole. Ma d'inverno la musica era diversa, ragazzo mio. Tu almeno ti scaldavi con il movimento, mentre io me ne stavo seduto con i piedi congelati e il naso mangiato dal vento, con le mani così intirizzite che a malapena riuscivo a tenere le redini.

— Era un posto così brutto e crudele. Non c'era neppure un filo d'erba. Solo pietre, sempre e soltanto pietre.

— Come hai ragione, vecchio mio. Era un mondo duro e cattivo. L'ho sempre detto che quei selciati di pietra sono orrendi, ma eravamo a Londra. Anch'io li odiavo, proprio come te. Tu eri un cavallo di campagna e io un giovanotto di campagna. Sai, dalle mie parti cantavo nel coro della chiesa. Ma dovetti andarmene per guadagnarmi il pane.

— Vi prego — li implorò Digory — potremmo andare avanti? Vedete, il leone si allontana sempre più e io devo parlargli. Si tratta di vita o di morte.

— Ascolta, Fragolino, questo giovanotto si è messo in testa di parlare con il leone. Con Aslan, come lo chiami tu. Sei disposto a farti cavalcare da lui e portarcelo? Io e la ragazza vi seguiremo a piedi.

— Cavalcare? — chiese Fragolino. — Adesso ricordo! Significa salire sulla mia groppa. Ricordo di aver portato, una volta, uno che era proprio come voi, a due zampe. Solo che era piccolo. Aveva sempre dei quadratini di una cosa bianca e dura, e me li offriva. Mmm, avevano un sapore magnifico. Erano perfino più dolci dell'erba!

— Erano zollette di zucchero — spiegò il cocchiere.

— Fragolino, per piacere — lo pregò Digory — fammi salire sulla tua groppa e portami da Aslan.

— Per me non ci sono problemi. Avanti, salta su.

— Fragolino, sei proprio un bravo ragazzo — disse il vetturino. — Avanti, ti do una mano a salire. — In un batter d'occhio Digory si ritrovò sulla groppa di Fragolino. Era perfettamente a suo agio, perché in campagna era abituato a cavalcare il suo cavallino senza sella.

— E adesso, Fragolino, vai, veloce come il vento —
lo incitò il ragazzo.

— Senti, non hai per caso qualche quadratino di quella cosa bianca? — chiese il cavallo.

— No, mi dispiace — rispose Digory.

— Va bene, non importa — si rassegnò Fragolino, e
partì al galoppo.

In quel momento un enorme bulldog, che fino ad allora non aveva fatto altro che fiutare i nostri amici con
grande curiosità, fece: — Date un'occhiata laggiù, vicino al fiume, sotto gli alberi. Mi sembra di vedere un'altra strana creatura.

A quel punto tutti gli animali guardarono il punto
indicato dal bulldog e videro zio Andrew immobile fra
i rododendri, sperando di non essere notato.

— Andiamo a dare un'occhiata, amici — dissero alcuni animali.

E così, mentre Fragolino trottava vivacemente in una
direzione con Digory in groppa (Polly e il cocchiere lo
seguivano a piedi), quasi tutte le creature si lanciarono
verso zio Andrew fra ruggiti, latrati, grugniti e altri ver-
si di gioiosa curiosità.

Ma è necessario tornare un po' indietro per spiegar-
vi come appariva la scena dal punto di vista dello zio.
Il vecchio si era fatto un'impressione ben diversa, sugli ultimi sviluppi, da quella dei ragazzi e del cocchiere. Questo perché quel che si vede e che si sente dipende quasi sempre dal punto in cui ci troviamo, e anche
da che tipo di persona siamo.

Non appena gli animali si erano avvicinati, zio Andrew aveva cercato di nascondersi fra i cespugli e ave-

va continuato a seguire gli sviluppi della situazione: non perché gli interessasse quello che le creature facevano, ma perché si preoccupava che potessero stanarlo. Lo zio era un uomo pratico, proprio come la strega, eppure gli era sfuggito un passaggio importante: non aveva notato che Aslan aveva scelto una coppia per ciascuna specie. Quello che vedeva, in sostanza, era solo un gran numero di animali selvatici e pericolosi che vagavano nel prato. E intanto si domandava perché non fuggissero lontano da Aslan.

Quando era venuto il grande momento e alle creature era stata data la parola, lo zio si era distratto. Questo per un semplice motivo: nel momento in cui il leone aveva cominciato a cantare – proprio all'inizio, mentre il cielo di Narnia era ancora buio – lo zio aveva capito che doveva trattarsi di un inno; la cosa non gli era piaciuta affatto, perché gli aveva provocato emozioni e pensieri conturbanti. Poi era sorto il sole: quando aveva scoperto che a cantare era un leone («Figuriamoci, un leone!» aveva borbottato fra sé) aveva fatto di tutto per convincersi che i leoni non cantano, al massimo ruggiscono, proprio come negli zoo del nostro mondo. "Mi sembra chiaro che non può essere un leone a cantare" si era detto. "Devo averlo sognato. Sono stanco, nervoso… Sì, devo averlo sognato. Del resto, chi ha mai sentito un leone che canta?" E mentre la voce del leone si faceva sempre più dolce e soave, zio Andrew si era sforzato di convincersi che quello che aveva ascoltato non era una canzone ma un ruggito.

Ora, succede che quando uno decide di essere sciocco, ci riesce così bene da superare perfino le proprie aspettative. Allo zio Andrew era successo proprio questo. Si era convinto che la canzone di Aslan fosse un ruggito e da quel momento non aveva sentito nulla di diverso, anche se forse l'avrebbe voluto. Così, quando il leone aveva pronunciato le solenni parole: «Narnia, svegliati!» lo zio aveva sentito a malapena il ruggito. E quando le bestie avevano risposto, a zio Andrew era parso di sentire abbaiare, ringhiare, latrare e ululare, nient'altro. Quando le creature erano scoppiate a ridere, be', vi lascio immaginare cosa provasse lo zio; forse era stato quello il momento peggiore. Com'era insopportabile, il vociare dei bruti affamati e rabbiosi! Non aveva mai sentito niente di simile in tutta la vita. Come se non bastasse, con somma rabbia e orrore aveva visto i tre compagni d'avventura uscire allo scoperto e farsi incontro agli animali.

"Pazzi!" aveva pensato allora. "Adesso le bestie selvagge mangeranno i ragazzi e con loro gli anelli, di modo che non potrò più tornare a casa. Quel Digory è un terribile egoista e gli altri due sono peggio. Se vogliono cacciarsi nei guai sono affari loro, ma io che c'en-

tro? Quello che mi fa rabbia è che a me non pensano affatto. Nessuno pensa a me!"

Ora che tutti gli animali correvano verso di lui, non gli restava altro che darsi alla fuga, cosa che fece subito. Il fatto che corresse tanto velocemente era la prova che l'aria del nuovo mondo gli aveva fatto proprio bene! A Londra lo zio non correva mai perché era troppo vecchio; a Narnia, invece, sfrecciava a una velocità tale che avrebbe potuto vincere con tutta tranquillità i cento metri piani in qualsiasi gara organizzata da una scuola inglese. E che corresse veloce si poteva vedere anche dalle falde della giacca, che sembravano volargli dietro.

Ma nonostante la corsa, gli animali non impiegarono molto a raggiungerlo. Molti erano superveloci, perché quella era la prima corsa da quando erano nati e non vedevano l'ora di collaudare i nuovi muscoli.

— Prendetelo, prendetelo! — gridarono in coro. — Forse è lui il catino, il battivo infiltrato nel nostro re-

gno. Non lasciatevelo sfuggire, non mollatelo. Tenete-
lo ben stretto, evviva, vittoria!

In un batter d'occhio alcune creature raggiunsero zio
Andrew e lo superarono, formando una sorta di catena che gli sbarrava la strada; altri animali lo circonda-
rono di lato. Ovunque guardasse, il terrore... Le corna
di un alce enorme e il faccione di un elefante gigante-
sco lo sovrastavano. Orsi e cinghiali grugnivano contro di lui. Leopardi dallo sguardo di ghiaccio e pantere che sembravano prenderlo in giro (così pensava lo
zio) continuavano a fissarlo scodinzolando. Ma quello
che colpì di più il poveretto fu il numero impressionan-
te di bocche spalancate. In effetti gli animali avevano
aperto la bocca per riprendere fiato dopo la corsa, ma
lui pensava che mostrassero le fauci perché volevano
papparselo.

Zio Andrew, tremante, cercava di trovare una qualche via d'uscita. E pensare che non aveva mai amato
gli animali, neppure nei tempi migliori, perché li aveva sempre temuti! Anni e anni di crudeli esperimenti
su di essi avevano fatto sì che li odiasse e li temesse ancora di più.

— E adesso, signore — disse il bulldog in tono decisamente professionale — vuole dirci, per cortesia, se
lei è un animale, un vegetale o un minerale? — Queste
furono le parole pronunciate dal bulldog, ma zio Andrew udì solo un terrificante "grrrarrh-aau"!

DIGORY E ZIO ANDREW
SONO NEI PASTICCI

Qualcuno potrebbe pensare che gli animali fossero ben sciocchi se, alla vista di zio Andrew, non si erano accorti che la strana creatura apparteneva alla stessa specie dei due bambini e del cocchiere. Ma il fatto è che gli animali non sanno cosa siano i vestiti. Di conseguenza avevano pensato che l'abitino di Polly, il completo giacca e pantaloni che indossava Digory e il cappello del vetturino facessero parte del corpo: come per loro la pelliccia o le piume, tanto per intendersi. Non potevano sapere che i tre appartenevano alla stessa specie perché non avevano mai parlato con loro, e lo stesso Fragolino nutriva dubbi sulla questione. Inoltre, zio Andrew era di gran lunga più alto dei due bambini e molto più magro del cocchiere; era vestito di nero, tranne un panciotto bianco che in verità non era più bianco, e aveva una gran massa di capelli grigi (nient'affatto in ordine) che gli animali non ricordavano di aver notato negli altri tre. Capirete perché fossero alquanto perplessi. Peggiorava la situazione il fatto che zio Andrew non fosse in grado di pronunciare neanche una parola.

A dire il vero, ci aveva provato. Quando il bulldog gli si era rivolto con le frasi che conoscete (anche se lui era convinto che l'orrendo animale avesse solo ringhiato), lo zio aveva allungato una mano tremante e aveva balbettato: — A cuccia, bello, a cuccia. — Ma gli animali non lo avevano capito, come lui non riusciva a capire loro. A quelli era parso di sentire solo un vago sibilare, non parole. Meglio così, perché nessuno dei cani che ho incontrato, e soprattutto un cane parlante del regno di Narnia, vorrebbe mai sentirsi dire: «A cuccia, bello, a cuccia»; è un po' come se qualcuno dicesse a voi «tesorucci miei».

Lo zio Andrew si sentì mancare e cadde a terra svenuto.

— Ehi — esclamò un facocero. — Questo è un albero, come avevo pensato. — Bisogna ricordare che le creature di Narnia non avevano mai visto qualcuno cadere o svenire.

Il bulldog, che nel frattempo aveva continuato ad annusare lo zio, alzò la testa e disse: — Ma non vedete che è un animale? Secondo me è della stessa specie degli altri tre.

— Io non sono d'accordo — protestò uno degli orsi. — Un animale non si lascia cadere a terra come ha fatto questa cosa. Noi siamo animali e non cadiamo a terra così. Noi stiamo in posizione eretta. Guardate. —

L'orso si sollevò sulle zampe posteriori, fece un passo indietro, inciampò in un ramo basso e cadde di schiena, lungo disteso.

— La terza burla, la terza burla! — strepitò tutta eccitata la cornacchia.

— Continuo a pensare che sia un albero — intervenne nuovamente il facocero. — Se fosse un albero, dovrebbe avere un nido di api — disse l'altro orso.

— Questo non è un albero — replicò il tasso. — Prima che cadesse a terra mi era sembrato che dicesse qualcosa.

— Ma no, era il vento che giocava con i suoi rami — chiarì il facocero.

— Non vorrai dirci che è un animale parlante — obbiettò la cornacchia al tasso. — Guarda che non ha detto una parola.

— Eppure potrebbe essere un animale di una specie

particolare — disse l'elefante, anzi l'elefantessa: ricorderete che suo marito era stato convocato da Aslan per il consiglio. — Secondo voi questa protuberanza biancastra non potrebbe essere una specie di faccia? E i buchi non potrebbero essere gli occhi e la bocca? Certo non c'è il naso, ma via, non è il caso di essere pignoli. Solo pochi di noi possiedono un vero naso. — E così dicendo si guardò la punta della proboscide, compiaciuta.

— Non sono affatto d'accordo — replicò il bulldog.

— La signora elefante ha perfettamente ragione — concordò il tapiro.

— Sapete cosa vi dico? — annunciò l'asino. — Forse si tratta di un animale che non riesce a parlare ma che può pensare.

— Magari è stato fatto apposta per stare in piedi — disse pensierosa la signora elefante. Con molta delicatezza afferrò zio Andrew con la proboscide e lo rivoltò a testa in giù, debole e ormai ridotto a uno straccio com'era; in questo modo alcune monete saltarono fuori dalle tasche: due mezze sterline, tre mezze corone e una moneta da sei pence. Ma anche questo non servì a molto; zio Andrew svenne di nuovo.

— Avete visto? — gridarono in coro alcuni animali. — Non è un animale. Questa cosa non è viva.

— Ve lo dico io, è un animale — assicurò il bulldog. — Annusatelo anche voi.

— L'odore non è tutto — chiarì la signora elefante.

— Oh, andiamo bene. Se non ci si può fidare del proprio naso, su che cosa si può fare affidamento?

— Be', magari sul proprio cervello — rispose con voce soave l'elefantessa.

— Non sono assolutamente d'accordo — disse il bulldog.

— Comunque sia, dobbiamo fare qualcosa — sottolineò la signora. — Potrebbe trattarsi del battivo, e in questo caso deve essere subito consegnato ad Aslan. Allora, sentiamo cosa ne pensa la maggioranza. Secondo voi è un animale o un albero?

— Un albero, un albero — gridarono quasi tutti in coro.

— Molto bene — disse la signora elefante. — Se è un albero, deve essere piantato. Bisogna scavare subito una bella buca.

Le due talpe si occuparono in fretta di questa parte del lavoro. Ci fu qualche piccola discussione su quale estremità dovesse essere interrata, e bisogna dire che la maggior parte degli animali avrebbe preferito mettere la testa sotto terra. Infatti sostenevano che le gambe fossero i rami e quindi le cose morbide e grigiastre (i capelli) dovevano essere le radici. Ma poi altre creature obiettarono che l'estremità biforcuta dell'albero era la più sporca di terra e la più allungata, proprio come sono le radici, e quindi, finalmente, decisero di piantarlo non di testa ma di piedi. Una volta pigiata la terra, zio Andrew rimase dalle ginocchia in su fuori della buca.

— Non so... mi pare così appassito — esclamò l'asino.

— A questo c'è subito rimedio. Basta innaffiarlo! Penso che forse, per un servizio di questo tipo, il mio naso potrebbe... — Come potete notare dal tono, la signora elefante non voleva offendere gli animali presenti.

— Non sono assolutamente d'accordo — disse il

bulldog. Ma, incurante della protesta, la signora elefante si diresse verso la riva del fiume, riempì d'acqua la proboscide e tornò indietro per prendersi cura dello zio Andrew. L'accorto animale fece la spola tra il fiume e l'"albero" fino a che non gli ebbe rovesciato addosso litri e litri d'acqua. Allo zio gocciolavano le falde della finanziera come se avesse fatto il bagno vestito di tutto punto.

Alla fine rinvenne, ma che risveglio fu il suo... Per il momento, tuttavia, non ci occuperemo più di lui e passeremo a cose più importanti. Meglio lasciargli tempo per pensare alle sue malefatte, non vi pare?

Nel frattempo Fragolino trottava con Digory sulla groppa. Il fragore degli altri animali era ormai lontano, mentre il gruppo di Aslan e dei suoi consiglieri era sempre più vicino. Digory sapeva che non era educato interrompere un'assemblea tanto solenne, ma non c'era altro da fare. A una parola di Aslan, l'elefante, i corvi e gli altri animali si fecero da parte. Digory scivolò giù dal cavallo e si trovò faccia a faccia con Aslan. Il leone era ancora più bello, più fiero e con il pelo più fulvo dorato di quanto il ragazzo ricordasse, al punto che Digory non ebbe il coraggio di affrontarne lo sguardo.

— Mi scusi, signor leone Aslan... eccellenza — balbettò Digory. — Mi darebbe, per favore, qualche frutto magico della terra per far guarire mia madre?

Dentro di sé Digory sperava ardentemente che il leone pronunciasse un sonoro sì, ma aveva anche tanta paura che dicesse no. Le parole di Aslan lo presero alla sprovvista.

— Questo è il ragazzo — disse Aslan rivolto ai suoi

consiglieri, senza degnare Digory di uno sguardo. —
Questo è il ragazzo che ha commesso l'atto.

"Povero me! Cosa ho combinato, stavolta?" pensò
Digory.

— Figlio di Adamo — proseguì Aslan — una strega
cattiva è nascosta nella neonata terra di Narnia. Rac-
conta ai saggi animali come è arrivata fin qui.

Nella mente di Digory balenarono una dozzina di
risposte possibili, poi pensò che la cosa migliore è dire
la verità, sempre e comunque.

— Sono stato io a portarla qui, Aslan — rispose Digory a bassa voce.

— Perché lo hai fatto?

— Volevo allontanarla dal mio mondo e riportarla
nel suo. Credevo che questo fosse il suo mondo.

— Come ha fatto la strega cattiva a raggiungere il tuo mondo, figlio di Adamo?

— Con... con la magia!

Il leone non disse una parola e da quel silenzio Digory capì di dover proseguire.

— Tutta colpa di mio zio, Aslan. È stato lui ad allontanarci dal nostro mondo grazie agli anelli magici. Io non avevo scelta, perché dovevo andare a cercare Polly. Lo zio l'aveva fatta scomparire per prima e l'aveva mandata in un altro mondo. Poi, in un secondo momento, Polly e io abbiamo incontrato la strega in un luogo chiamato Charn e lei si era aggrappata a noi quando...

— Voi avete incontrato la strega? — lo interruppe Aslan, con una voce bassa in cui si avvertiva la minaccia di un ruggito.

— La strega si svegliò — balbettò il povero Digory, e poi, diventato pallidissimo, proseguì più spedito. — Anzi, l'ho svegliata io. Volevo suonare la campana per vedere cosa sarebbe successo. Polly non voleva, ha cercato di fermarmi; non è colpa sua, lei non c'entra. Le ho anche fatto male, perché voleva impedirmi di suonare la campana. So che non avrei dovuto farlo, ma... non so, forse ero vittima dell'incantesimo scritto sotto la campana.

— Davvero? — chiese Aslan, continuando a parlare con voce bassa e profonda.

— No, adesso mi rendo conto che non è così — rispose Digory. — Mi sono solo raccontato una bugia.

Ci fu una lunga pausa. Digory non poté fare a meno di pensare di aver rovinato tutto; aveva perduto la possibilità di aiutare la sua mamma a guarire.

Poi il leone parlò di nuovo, stavolta non rivolgendosi a Digory.

— Cari amici, il mondo nuovo che vi ho donato ha solo sette ore di vita e già una forza malvagia si è introdotta dentro di esso, risvegliata e condotta qui dal figlio di Adamo.

Le creature di Narnia, Fragolino compreso, puntarono gli occhi su Digory che provò l'ardente desiderio di essere inghiottito dalla terra e scomparire.

— Ma non per questo dobbiamo arrenderci — proseguì il leone, parlando a tutte le bestie. — Da questa presenza negativa scaturirà altro male, ma è ancora lontano e comunque sarò io ad affrontarlo, in modo che il male peggiore cada su di me. Per adesso, facciamo in modo che per centinaia e centinaia d'anni questa sia la regione felice di un mondo felice. E dal momento che la stirpe di Adamo ha portato il male, la stirpe di Adamo ci aiuterà a combatterlo. Venite avanti, voi due.

Le ultime parole erano rivolte a Polly e al cocchiere che erano appena arrivati. Polly, con gli occhi spalancati e la bocca aperta, non riusciva a togliere gli occhi da Aslan, mentre stringeva forte la mano del vetturino. Quest'ultimo diede un'occhiata al leone e si tolse il cappello: nessuno lo aveva mai visto con la testa scoperta. Sembrava più giovane, più attraente e somigliava a un contadino più che a un cocchiere londinese.

— Figlio — disse Aslan rivolto al vetturino — io ti conosco da tempo. Mi riconosci?

— Be', no, signore — rispose l'altro. — Per lo meno, non secondo il significato comune del termine. Però, se posso parlare liberamente, sento di averla incontrata da qualche parte, signore.

— Hai detto bene — replicò il leone. — Tu sai più di quello che credi di sapere, e vivrai così a lungo che potrai conoscermi meglio. Come ti sembra questa terra?

— È una festa continua — rispose il cocchiere.

— Ti piacerebbe vivere qui per sempre?

— Vede, signore, io sono sposato — spiegò il brav'uomo. — Se mia moglie fosse al mio fianco, non avremmo esitazioni. Vorremmo vivere qui tutti e due, senza tornare mai a Londra. Noi siamo gente di campagna.

Aslan alzò la testa irsuta, aprì le enormi fauci e lanciò una nota lunga, una sola nota che racchiudeva un immenso potere. Al sentirla, il cuore di Polly cominciò a battere all'impazzata. La bambina era sicura che fosse un richiamo e chi lo udiva non potesse fare a meno di obbedire: anzi l'avrebbe fatto volentieri, se pur lontano molti mondi e molte epoche. Così, quando una donna giovane e dal volto onesto spuntò dal nulla e sedette vicino a lei, Polly, pur meravigliata, non fu particolarmente colpita né intimorita; capì all'istante che doveva essere la moglie del cocchiere e che era arrivata dal nostro mondo senza ricorrere a noiosi anelli magici, ma così, semplicemente, come un uccello raggiunge il suo nido. La giovane donna era stata colta nel bel mezzo di un bucato, perché indossava il grembiule, aveva le maniche rimboccate fino al gomito e le mani ancora insaponate. Se avesse avuto il tempo di mettere il vestito buono (con il cappellino più bello ornato di ciliegie finte) sarebbe sembrata bruttissima; invece così pareva molto graziosa.

La giovane donna era convinta di sognare e per questo non corse subito incontro al marito per chiedergli cosa fosse successo. Ma quando vide il leone non le sembrò più di vivere un sogno e per qualche ragione misteriosa non ne ebbe paura. Gli rivolse un mezzo inchino, come sapevano ancora fare alcune ragazze di campagna di quei tempi, poi si avvicinò al cocchiere e lo prese per mano, guardandosi timidamente attorno.

— Figli miei — disse Aslan, fissandoli entrambi — voi sarete il primo re e la prima regina di Narnia.

Il cocchiere rimase a bocca aperta per lo stupore e le guance della moglie si colorarono di un rosso intenso.

— Darete un nome a tutte le creature, le amministrerete, insegnerete loro la giustizia e le proteggerete dai nemici quando compariranno. E questo avverrà, perché c'è una strega malefica nascosta nel nostro mondo.

Il vetturino deglutì due o tre volte, si schiarì la gola e infine parlò.

— La prego di perdonarmi, signore. La ringrazio molto, ma sono sicuro (e anche mia moglie sarà d'accordo) di non essere il tipo adatto a questo impegno. A scuola ci sono andato poco…

— Ebbene — disse Aslan — sai usare la vanga e l'aratro? Sai ricavare nutrimento dalla terra?

— Sì, signore, credo che saprei cavarmela benino. D'altra parte ci sono cresciuto, nei campi.

— Saprai governare queste creature con mano ferma e gentile, tenendo bene a mente che non sono schiave come le bestie mute del mondo in cui sei nato, ma animali liberi e parlanti?

— Ci proverò, signore. Cercherò di essere giusto con tutti.

— E saprai educare i tuoi figli e i tuoi nipoti perché facciano altrettanto?

— Voglio provarci, signore. Cercheremo di fare del nostro meglio, vero, Nellie?

— E non farai mai favoritismi, né fra i tuoi figli né fra le altre creature? E non lascerai che qualcuno sia sottomesso a un altro né che venga sfruttato ingiustamente?

— Non ho mai sopportato queste cose, signore. È la verità. E se sorprenderò qualcuno a farle, gli darò io quello che merita — concluse il cocchiere. (Durante la conversazione la sua voce si era fatta più distesa e pro-

fonda; adesso sembrava la voce di un ragazzo di campagna più che quella sbrigativa e tagliente di un londinese di umili origini.)

— E se i nemici marceranno contro questa terra (perché ci saranno dei nemici) sarai sempre al primo posto durante gli attacchi e all'ultimo durante le ritirate?

— Signore, uno non può sapere come si comporterà se prima non viene messo alla prova. Io non ho mai combattuto, a parte qualche scambio di pugni. Ma cercherei in ogni modo di fare il mio dovere.

— E così facendo faresti tutto ciò che ci si aspetta da un re. La cerimonia dell'incoronazione avverrà quanto prima e allora tu, i tuoi figli e i figli dei tuoi figli sarete benedetti. Alcuni diventeranno re di Narnia, altri regneranno sulla terra di Archen, che si trova dietro le montagne meridionali. E tu, giovane figlia — e qui si rivolse a Polly — sii la benvenuta. Hai perdonato il ragazzo per l'offesa che ti fece nel salone delle statue, nel palazzo desolato di Charn la maledetta?

— Sì, Aslan, è tutto a posto, grazie — balbettò Polly.

— Questo è bene — rispose Aslan. — E adesso è il tuo turno, ragazzo.

Digory aveva la bocca quasi appiccicata da quanto era stretta. Con il passare del tempo si era sentito sempre più a disagio e ora sperava soltanto di non mettersi a piangere a dirotto, per non fare brutta figura davanti a tutti.

— Figlio di Adamo — lo chiamò Aslan — sei pronto a combattere e annientare il male che hai fatto alla mia dolce terra di Narnia nel giorno della sua nascita?

— Non so cosa potrei fare — rispose Digory. — La regina è fuggita e…

— Ti ho chiesto se sei pronto — lo interruppe il leone.

— Sì — disse Digory. Per un attimo aveva anche pensato di rispondere: "Cercherò di darle una mano a patto che mi prometta di aiutare la mamma" ma per fortuna si rese conto che il leone non era assolutamente il tipo con cui scendere a compromessi. Tuttavia, appena ebbe risposto «Sì» pensò a sua madre, alle grandi speranze che aveva nutrito di poterla salvare e a come erano svanite; gli salì un groppo alla gola, gli occhi gli si riempirono di lacrime e sbottò: — Ma la prego, la prego, mi dia qualcosa che aiuti la mamma a stare meglio.

Fino a quel momento gli occhi di Digory avevano fissato le zampe enormi e i grandi artigli di Aslan. Ora, preso dalla disperazione, il ragazzo aveva finalmente trovato il coraggio di guardare in faccia il leone. Quello che vide fu una delle cose più sorprendenti della sua vita: il muso fulvo era chino su di lui e, meraviglia delle meraviglie, gli occhi della grande creatura brillavano, gonfi di lacrime. Erano lacrime così grandi, a confronto di quelle di Digory, che per un attimo il ragazzo pensò che il leone fosse più addolorato di lui per la sorte della mamma.

— Figlio mio, figlio mio — prese a dire Aslan — lo so, il dolore è incommensurabile. Solo io e te su questa terra sappiamo quanto esso sia grande. Vogliamoci bene, o figlio. Tuttavia devi comprendere che ho il dovere di pensare al futuro di Narnia; la strega che involontariamente hai portato in questo mondo potrebbe tornare fra noi, anche se sento che non è ancora venuto il momento. È mia intenzione piantare un albero che la strega non abbia il coraggio di avvicinare, e che salvi la nostra terra dalla sua cattiva presenza per molti e molti anni. Sarà così che Narnia potrà godere di un'aurora lunga e luminosa, prima che le nuvole vengano a oscurare il sole. Tu devi portarmi il seme per far crescere quell'albero.

— Sì, signore — rispose Digory. Non sapeva esattamente come e dove avrebbe trovato il seme, ma dentro di sé sentiva che ce l'avrebbe fatta.

Il leone trasse un lungo respiro, si chinò ancora di più verso Digory e lo baciò sulla fronte. Improvvisamente, Digory sentì una forza e un coraggio che non aveva mai avuto.

— Figlio, mio caro figlio — disse ancora Aslan — adesso ti dirò cosa devi fare. Voltati in direzione dell'Ovest e dimmi cosa vedi.

— Vedo montagne grandissime, Aslan — cominciò a descrivere Digory. — Vedo il fiume che precipita dalle rocce formando una cascata. E oltre le rocce ci sono alte montagne tutte coperte di foreste, e oltre le foreste montagne più alte che sembrano buie, tanto sono scure. E infine, laggiù in fondo, vedo un gruppo di cime tutte coperte di neve. Sembrano le Alpi in cartolina, e al di là delle montagne c'è solo il cielo.

— Hai visto quello che dovevi vedere — intervenne il leone. — La terra di Narnia finisce dove inizia la cascata e una volta raggiunta la cima delle rocce che hai appena visto sei nella Foresta Selvaggia. Devi attraversare le montagne fino a quando non incontrerai una verde vallata con un lago azzurro, quasi incastonata tra le montagne di ghiaccio. Al limite estremo del lago c'è un colle verde e ripido, e sulla cima vi è un giardino. Al centro del giardino c'è un albero. Cogli una mela da quell'albero e portala qui da me.

— Sì, signore — disse ancora Digory. Non aveva la benché minima idea di come scalare la roccia e raggiungere le montagne, ma non ebbe il coraggio di dirlo al leone per timore che suonasse come una scusa bella e buona. Quindi se la cavò con queste parole: — Aslan, io spero che non abbia fretta. Non credo di riuscire a portarle subito quello che mi ha chiesto.

— Piccolo figlio di Adamo, qualcuno ti aiuterà — rispose Aslan. Il leone si voltò verso il cavallo che per tutto quel tempo era stato tranquillamente accanto a loro, muovendo di tanto in tanto la coda per tenere le mosche alla larga. Fragolino aveva ascoltato la conversazione fra Digory e Aslan con la testa inclinata, forse perché erano parole piuttosto difficili da capire.

— Mio caro cavallo — disse Aslan rivolto a Fragolino — ti piacerebbe essere un cavallo alato?

Avreste dovuto vedere Fragolino! Scosse la criniera, dilatò le narici e al colmo della felicità batté a terra uno degli zoccoli posteriori. Era chiaro che voleva essere un cavallo alato, ma disse soltanto: — Aslan, se tu vuoi… ma perché hai scelto proprio me? Non sono un cavallo molto abile.

— Che tu sia alato. Che tu sia il padre di tutti i cavalli alati — ruggì Aslan, così forte da far vibrare il terreno. — Piumino sarà il tuo nome.

Il cavallo fece uno scarto, come faceva a volte ai tempi della sua vita miserabile, quando era costretto a trainare una carrozza. Respirò rumorosamente e si contorse per raggiungere la parte posteriore del collo, come se una zanzara lo avesse punto sul dorso e volesse grattarsi. Poi, come quando le bestie erano emerse dalla terra, dalle spalle di Fragolino spuntarono due grandi ali, più grandi di quelle delle aquile e dei cigni, più grandi ancora delle ali degli angeli raffigurate sulle vetrate

delle chiese. Le piume erano di
un bel castano con riflessi di
rame. Il cavallo diede un gran
colpo d'ali e si librò nell'aria.
Quando si trovò a cinque metri
sopra Digory e Aslan, sbuffò, nitrì
e fece una gran falcata. Poi,
dopo aver disegnato un cerchio, toccò terra con tutti e
quattro gli zoccoli, sorpreso
ma divertito.

— Allora, Piumino, è bello?
Ti piace? — chiese il leone.

— È bellissimo, Aslan.

— E allora, vuoi far salire
in groppa il piccolo figlio di
Adamo e condurlo sulla montagna che prima ho descritto?

— Cosa? Adesso? Subito? — balbettò confuso Fragolino o Piumino, come ormai bisogna chiamarlo. —
Evviva! Avanti, piccolo figlio di Adamo, salta su e non
temere. Ho già portato cosini come te sulla groppa. Era
molto, molto tempo fa, quando i prati verdi si stende-
vano a vista d'occhio e mi davano zollette di zucchero.

— Cosa confabulano le due figlie di Eva? — chiese Aslan all'improvviso, voltandosi verso Polly e la moglie del cocchiere, che nel frattempo erano diventate amiche.

— Se mi permette, signore — rispose la regina Helen (perché la moglie del cocchiere, da quando era stata eletta regina, aveva abbandonato il diminutivo di Nellie) — io credo che la bambina voglia accompagnare il ragazzo. Sempre che questo non crei problemi.

— Piumino, tu cosa ne pensi? — chiese il leone rivolgendosi al cavallo.

— Oh, uno o due non ha importanza. Sono piccoli, loro. Spero solo che l'elefante non abbia intenzione di unirsi a noi.

L'elefante non aveva affatto il desiderio di unirsi ai nostri amici e così il nuovo re di Narnia aiutò i ragazzi a salire sulla groppa del cavallo. Cioè, a Digory diede una bella spinta e depositò Polly personalmente sul dorso del cavallo, come se si trattasse di una statuetta di porcellana fragilissima.

— Ecco fatto, Fragolino... scusa, Piumino. Mai vista una partenza tanto strana.

— Mi raccomando a te, Piumino — disse Aslan. — Non volare troppo alto. Non spingerti fin sopra i ghiacciai. Sta' bene attento alle valli e ai prati, seguili perché ti indicheranno la strada. Troverai sempre una via d'uscita, capito? E ora andate con la mia benedizione.

— Oh, Piumino! — Digory si chinò ad accarezzare il collo lucente del cavallo. — Non mi ero mai divertito tanto. Polly, tieniti forte a me, mi raccomando.

Un secondo più tardi la terra si staccò sotto di loro, sempre più lontana, e quando Piumino fece un paio di giri di prova, come un piccione, prima di aggiustare la traiettoria e puntare a ovest, sembrò che il mondo si mettesse a girare.

Sporgendosi, Polly riusciva a malapena a distinguere il re e la regina e perfino il maestoso Aslan era diventato un puntino giallo sulla superficie verde dell'erba. Il vento carezzava i loro visi e finalmente le ali di Piumino acquistarono un ritmo uniforme.

Solcato dal fiume che sembrava un nastro d'argento vivo, il coloratissimo regno di Narnia si stendeva ai loro piedi con le sue valli e le sue rocce, le distese d'erica e gli alberi di mille specie diverse.

I nostri amici potevano già vedere oltre la cima delle colline che si trovavano sulla destra, a nord. Dietro le colline, la brughiera si dispiegava dolcemente fino a toccare la linea dell'orizzonte. A sinistra le montagne erano decisamente più alte, ma di tanto in tanto comparivano zone aperte che lasciavano intravedere, fra i pini della foresta, le terre meridionali che si perdevano dietro di esse, azzurre e lontane.

— Laggiù c'è la terra di Archen — annunciò Polly.

— Sì, ma guarda avanti — quasi ordinò Digory.

Un'enorme barriera di rocce si parò improvvisamente davanti a loro, proprio mentre i nostri eroi avevano la vista abbagliata dalla luce del sole che danzava sulla cascata. Da lì il fiume, che nasceva sugli altipiani occidentali, precipitava nella terra di Narnia.

Polly, Digory e Piumino volavano così in alto che a malapena sentivano il fragore della cascata, ma ben presto scoprirono che non era abbastanza per sorvolare la cima delle rocce.

— Credo che dovremo procedere a zigzag — disse Piumino. — Mi raccomando, tenetevi ben stretti!

Il cavallo cominciò a volare zigzagando, sempre più alto. L'aria si fece più fredda e i ragazzi sentirono il richiamo delle aquile sotto di loro.

— Guardate. Guardate indietro!

Adesso potevano vedere la valle di Narnia stendersi a oriente fin quasi al mare, dove toccava la linea dell'orizzonte. Volavano così in alto che riuscivano a distinguere le montagne frastagliate, piccole per la distanza, innalzarsi oltre le brughiere a nord-ovest; e a sud, lontano, una specie di deserto sabbioso.

— Chissà che posti sono quelli. Vorrei tanto che qualcuno ce lo spiegasse — disse Digory.

— Io credo che non ci sia nulla, laggiù. Non ci abita ancora nessuno e non succede niente. Ricorda, Digory, il mondo è cominciato soltanto oggi.

— Ma prima o poi qualcuno abiterà quelle terre — proseguì Digory. — E comincerà una nuova storia…

— Meglio che per il momento non ci sia nulla — osservò Polly. — In questo modo nessuno sarà costretto a studiare storia, con tutte quelle battaglie e date…

Adesso sorvolavano la cima delle rocce e in pochi minuti la valle di Narnia scomparve ai loro occhi. Seguivano sempre il corso del fiume, lungo una terra incolta e selvaggia con ripide colline e foreste cupe. Le montagne più alte si stagliavano di fronte, ma i nostri amici avevano il sole negli occhi e non potevano vedere cosa ci fosse in quella direzione. Il sole infatti, a mano a mano che procedevano nel viaggio, si faceva sempre più basso e il cielo a occidente divenne simile a una gran fornace piena d'oro colato. Infine il sole calò dietro un picco frastagliato che si stagliava contro lo splendore del cielo come una sagoma di cartone.

— Non fa troppo caldo, quassù — disse Polly.

— Cominciano a farmi male le ali — si lamentò Piumino — e ancora non si vede la valle con il lago in mezzo che ci ha descritto Aslan. Che ne direste di scendere e cercare un posticino tranquillo per la notte? Tanto, non ce la facciamo ad arrivare prima del buio.

— Hai ragione, Piumino. E poi è senz'altro ora di cena.

E così Piumino iniziò la discesa. Non appena furono arrivati vicino a terra, fra le colline, l'aria si fece più tiepida. Dopo aver viaggiato tante ore ascoltando solo il battito delle ali di Piumino, fu un piacere risentire i vecchi rumori di sempre, il gorgoglio dell'acqua del fiume che scorre su un letto di ciottoli o lo scricchiolio dei rami mossi dal vento.

Un buon profumo di terra scaldata dal sole, di erba e fiori accolse i nostri amici quando toccarono terra. Digory balzò giù da cavallo e aiutò Polly a smontare. Che meraviglia, finalmente potevano sgranchirsi le gambe!

— Che fame! — esclamò Digory.

— Serviti pure — rispose Piumino, con la bocca piena d'erba. Poi sollevò la testa, continuando a masticare, mentre i fili d'erba gli uscivano dalla bocca come baffi. — Avanti, voi due, non fate troppi complimenti. Ce n'è per tutti.

— Ma noi non mangiamo l'erba — protestò Digory.

— Mmm — borbottò Piumino parlando con la bocca piena — non so proprio cosa dire. Perché non l'assaggiate? È buona, ve lo assicuro. Polly e Digory si guardarono, sconsolati.

— Secondo me qualcuno avrebbe dovuto pensare alla nostra cena — disse Digory.

— Se ne sarebbe occupato Aslan, se glielo aveste chiesto — rispose il cavallo.

— Ma non avrebbe potuto pensarci da solo? — chiese Polly.

— Sì, in effetti hai ragione — replicò Piumino, sempre con la bocca piena — ma ad Aslan piace sentirsi chiedere le cose.

— E adesso che dobbiamo fare? — domandò Digory.

— Francamente non lo so — rispose il cavallo. — A meno che non proviate ad assaggiare l'erba. Vi piacerà, vedrai.

— Piumino, non essere sciocco — protestò Polly, battendo il piede. — Mi sembra chiaro che gli esseri umani non possono mangiare erba, proprio come tu non puoi mangiare lo spezzatino.

— Per l'amor del cielo, vogliamo smetterla di parlare di cibo? Serve solo a peggiorare la situazione — intervenne Digory.

Quindi propose a Polly di usare l'anello magico e tornare a casa, a procurarsi qualcosa da mangiare. Non poteva andarci lui stesso perché aveva fatto una promessa e non voleva mancare la parola data ad Aslan: se fosse ricomparso in famiglia, qualcuno avrebbe potuto vederlo e impedirgli di tornare a Narnia. Polly, però, non volle saperne di lasciarlo solo e Digory riconobbe che era molto gentile da parte sua.

— Se ricordo bene, dovrei avere ancora qualche caramella al latte in tasca. Meglio di niente.

— Perfetto — esclamò Digory. — Ma fa' bene attenzione a non toccare l'anello, Polly.

Era un'operazione assai difficile e delicata, ma alla

fine ci riuscirono. La carta che conteneva le caramelle era accartocciata e appiccicaticcia e non fu facile tirarle fuori. In una situazione simile, gli adulti avrebbero sicuramente preferito saltare il pasto, piuttosto che mangiare delle caramelle vecchie e stantie (è nota la mancanza di fantasia degli adulti), ma Polly e Digory non si persero d'animo. In tutto le caramelle in questione erano nove: Digory ebbe la brillante idea di mangiarne quattro ciascuno e di piantare la nona. Disse infatti: — Se dall'asta del lampione è nato un alberello luminoso, perché da questa non dovrebbe venir fuori un albero di caramelle? — Fu così che Polly e Digory scavarono una buchetta nell'erba e seppellirono la caramella. Poi mangiarono le altre, quattro ciascuno, cercando di farle durare più che potevano.

Quando Piumino ebbe finito di spazzolare la gustosa erbetta e fu sazio, si distese a terra. I bambini lo raggiunsero e si appoggiarono al corpo tiepido del cavallo, uno da una parte e uno dall'altra. Piumino li coprì con le ali e allora si sentirono veramente al riparo.

Quando le giovani e luminose stelle del nuovo mondo spuntarono nel cielo, Polly e Digory cominciarono a scambiarsi confidenze.

Digory parlò di come sperava di aiutare sua madre e di come fosse invece costretto a mantenere la promessa fatta ad Aslan. Poi ripeterono per filo e per segno le istruzioni del leone, compresi i segni di riconoscimento dei luoghi che avrebbero dovuto attraversare prima di raggiungere il giardino in montagna. Stavano scivolando lentamente dalle parole al sonno, quando Polly si scosse all'improvviso e fece: — Ssst, silenzio...

Tutti e tre tesero l'orecchio.

— Forse era solo il vento fra gli alberi — disse infine Digory.

— Mmm, questa storia non mi piace affatto — sussurrò Piumino. — Aspettate... sentite anche voi quello che sento io? Per Aslan, qui c'è qualcosa.

Il cavallo balzò su, facendo un gran rumore, mentre i bambini erano già in piedi da tempo. Piumino cominciò a trotterellare avanti e indietro, annusando tutto e lanciando strani nitriti. I ragazzi si spostarono in punta di piedi, dando un'occhiata dietro ai cespugli e agli alberi. Erano sicuri di aver visto qualcosa che si muoveva e ci fu un momento in cui Polly fu certa di aver individuato una figura alta, scura, che fuggiva verso ovest. Ma non riuscirono a catturare nulla e nessuno, per cui Piumino si stese nuovamente sull'erba e i bambini si accovacciarono sotto le ali protettrici. Erano talmente stanchi che caddero subito in un sonno profondo. Piumino, invece, rimase sveglio a lungo, continuando a muovere le orecchie in ogni direzione e talvolta rabbrividendo appena, come se una mosca gli si fosse posata sul naso. Ma infine anche lui cadde addormentato.

—Piumino, Digory, sveglia! — disse Polly. — Guardate, l'albero delle caramelle è già cresciuto. E questa è l'alba più bella che abbia mai visto.

Il sole tiepido del primo mattino diffondeva timidi raggi sulla foresta. L'erba, bagnata di rugiada, aveva assunto un colore grigiastro e i fili sottili delle ragnatele parevano d'argento.

Proprio accanto a loro, durante la notte, era cresciuto un alberello dal tronco molto scuro, grande all'incirca come un melo. Aveva le foglie biancastre, un po' cartacee come le foglie dell'erba luna, ed era carico di frutti marroncini che somigliavano ai datteri.

— Evviva, che bello — esclamò Digory. — Ma prima voglio fare un bel tuffo. — Attraverso un boschetto pieno di fiori, Digory raggiunse di corsa la riva del fiume. Vi è mai capitato di fare il bagno in un fiume di montagna dove l'acqua illuminata dal sole, scorrendo sulle pietre rosse, gialle e verdi, forma ogni tanto delle cascatelle? Potete non crederci, ma è bello come al mare. Anzi, forse di più.

Dopo il bagno, Digory si rivestì senza asciugarsi, ma poco importava. Quel bagno ci voleva proprio. Quando Digory tornò indietro, fu la volta di Polly di andare a bagnarsi nelle acque del fiume. O almeno fu quello che raccontò quando raggiunse gli altri: noi sappiamo che Polly non sapeva nuotare, ma è meglio lasciar perdere e non impicciarsi di faccende che non ci riguardano.

Anche Piumino volle fare un salto al fiume. Si mise controcorrente e cominciò a bere, poi scosse la criniera e nitrì parecchie volte.

Intanto Polly e Digory avevano il loro bel daffare con l'albero delle caramelle. Quei frutti erano deliziosi: non proprio come caramelle, visto che avevano più succo ed erano più morbidi; diciamo che erano frutti che sapevano di caramella.

Anche Piumino fece un'abbondante e ottima colazione. Assaggiò un frutto, gli piacque molto ma disse che a quell'ora del mattino preferiva l'erba fresca. Infine, non senza difficoltà, i ragazzi si accomodarono sulla sua groppa e, via!, cominciarono la seconda parte del viaggio.

Fu ancora più bello del giorno prima, sia perché i tre viandanti si sentivano freschi e riposati, sia perché il nuovo sole era alle spalle e, si sa, le cose si vedono meglio quando la luce viene da dietro. Fu una cavalcata stupenda. Le grandi montagne coperte di neve si stagliavano davanti a loro in ogni direzione. Le valli che sorvolavano erano così verdi e i torrenti che scendevano dai ghiacciai per confluire nel grande fiume erano di un azzurro così intenso che ai ragazzi parve di volare sopra smeraldi e zaffiri di proporzioni gigantesche. Polly e Digory avrebbero voluto che quella parte del viaggio durasse a lungo. Poco dopo, invece, si trovarono tutti e tre a fiutare l'aria. Ci fu un incrociarsi di: ehi, cos'è? sentite qualcosa? da dove viene? Un profumo intenso e molto buono, che pareva venire dai fiori e dai frutti più deliziosi del mondo, saliva da chissà quale direzione.

— Credo che venga dalla valle con il lago in mezzo — disse Piumino.

— È vero — confermò Digory. — Guardate, c'è una collina verde proprio all'estremità del lago. Che acqua azzurra!

— È il posto! — esclamarono all'unisono.

Piumino, stringendo in cerchi sempre più piccoli, iniziò la discesa e intorno a loro i picchi delle montagne, coperti di ghiaccio, diventarono sempre più alti. A mano a mano che planavano l'aria si fece più tiepida e dolce, tanto dolce da farli emozionare. Piumino planava ad ali ferme e spalancate, gli zoccoli scalpitanti pronti a toccare terra. La collina verde e scoscesa venne loro rapidamente incontro. Un istante più tardi Piumino atterrò un po' goffamente sul pendio; i ragazzi rotolarono sull'erba morbida e accogliente, senza farsi male, e si tirarono su con appena un po' di fiato grosso.

Erano a tre quarti della salita e iniziarono così la scalata per raggiungere la cima del colle. (Secondo me,

Piumino non ce l'avrebbe mai fatta senza le ali che lo bilanciavano e che di tanto in tanto gli consentivano di svolazzare.) Tutto intorno alla cima della collina correva un muro molto alto ricoperto d'erba, al di sopra del quale sporgevano i rami degli alberi che crescevano all'interno. Gli alberi avevano foglie verdi che diventavano azzurre e argentee se il vento le agitava. Quando i tre viaggiatori ebbero raggiunto la cima dovettero quasi fare il giro completo della parete, prima di trovare il cancello d'ingresso: un altissimo cancello d'oro, ben chiuso, che guardava esattamente a est.

Fino a quel momento Piumino e Polly avevano pensato di entrare nel giardino insieme a Digory, ma cambiarono idea. Lasciatemi dire che non ho mai visto un luogo più intimo e riservato in vita mia: si capiva subito che apparteneva a qualcuno e soltanto un pazzo si sarebbe sognato di varcare il cancello senza una ragione speciale. Anche Digory capì che gli altri non potevano e non dovevano entrare con lui, per cui si avvicinò al cancello da solo. Lo aveva ormai di fronte quando si accorse che sul cancello d'oro vi era un'iscrizione, incisa con lettere d'argento. Ecco cosa diceva:

ENTRA PER IL CANCELLO D'ORO
O NON ENTRARE AFFATTO,
PRENDI LA MIA FRUTTA PER GLI ALTRI
O NON TOCCARLA AFFATTO,
PERCHÉ QUELLI CHE RUBERANNO
E QUESTE MURA SCAVALCHERANNO
SCOPRIRANNO LE PASSIONI DEL CUORE...
E IL TORMENTO TROVERANNO.

"Prendi la mia frutta per gli altri" ripeté Digory tra sé. "Be', in effetti è proprio quello che devo fare. Questo significa che io non posso assaggiarla. Poco male, ma non capisco perché precisare: entra per il cancello d'oro. Chi penserebbe di scalare un muro così alto, visto che c'è il cancello?" Digory lo toccò appena e subito questo si spalancò, le grate rivolte verso l'interno, girando sui cardini senza fare il minimo rumore.

Ora che Digory vedeva l'interno del giardino, si rese conto che era ancora più riservato di quanto avesse immaginato. Il ragazzo entrò compunto e si guardò intorno: anche l'acqua della fontana che si trovava al centro scorreva quasi senza fare rumore. Il profumo intenso che poco prima aveva accolto Digory e i suoi amici, ora lo avvolgeva. Quel luogo sembrava felice, ma era così serio...

Digory riconobbe l'albero che faceva al caso suo, perché era al centro del giardino e soprattutto perché le splendide mele argentee appese ai rami brillavano di luce propria e rischiaravano le zone in ombra dove la luce del sole non aveva accesso.

Andò immediatamente all'albero e colse una mela, ma prima di metterla nella tasca interna della giacca non poté fare a meno di ammirarla e annusarne il delizioso profumo.

Non lo avesse mai fatto! Una fame e una sete terribile si impossessarono di lui, insieme al desiderio immenso di assaggiare la mela. Digory si affrettò a metterla in tasca. Ma che fare? Ce n'erano tante altre... Dopotutto, la massima sul cancello non era un ordine, solo un consiglio. E, parliamoci chiaro, a chi interessano i consigli? Ma anche se si fosse trattato di un ordine, cosa c'era di male nel mangiare una mela? Del resto, Digory aveva già osservato una parte della raccomandazione, quella che riguardava "gli altri".

Mentre si perdeva in queste considerazioni, alzò lo sguardo verso i rami più alti del melo. Lassù, su un ramo che si trovava proprio sopra la sua testa, era appollaiato un magnifico uccello. Dico appollaiato perché sembrava addormentato, ma forse non era così, visto che aveva un occhio appena socchiuso. Più grande di un'aquila, aveva il petto color zafferano, una cresta rosso scarlatto e la coda violacea.

«Il che dimostra» avrebbe commentato Digory, al momento di raccontare la storia ad altri «che nei luoghi incantati devi sempre stare all'erta. Non sai mai se ti tengano d'occhio.» Da parte mia, penso che non avrebbe osato cogliere la mela in ogni caso e avrebbe resistito alla tentazione di mangiarsela. I comandamenti del tipo «Non rubare» i bambini di allora ce li avevano bene

in testa. Comunque, non si può avere la certezza assoluta.

Digory era sulla via del ritorno, in direzione del cancello, quando si fermò per dare un'ultima occhiata. Per poco non gli prese un colpo: a pochi metri da lui c'era la strega, che proprio in quell'attimo buttò via il torsolo della mela che aveva appena finito di mangiare. Il succo del magico frutto era più scuro di quello che potreste pensare e le si era appiccicato tutto intorno alla bocca. Digory si rese conto che la strega doveva aver scavalcato il muro e capì il significato dell'ultima frase incisa sul cancello, quella che riguardava il tormento e le passioni del cuore. La strega, infatti, sembrava più forte e più superba che mai, addirittura trionfante, ma il suo volto era pallido come la morte, quasi una maschera di sale.

Tutto questo passò per la mente di Digory in meno di un secondo, dopo di che il ragazzo corse come il vento in direzione del cancello, inseguito dalla strega. Non appena fu uscito dal giardino, il cancello si richiuse spontaneamente dietro di lui. Questo gli diede un piccolo vantaggio sulla strega, ma per poco. Riuscì a raggiungere gli altri e a gridare: — Presto, presto. Polly, Piumino, andiamo via! — Ma la strega aveva già scavalcato il muro coperto d'erba e lo aveva quasi raggiunto.

— Non ti avvicinare — gridò Digory, voltandosi verso di lei — o scompariremo. Non fare un solo passo in avanti, hai capito?

— Stupido — replicò la strega — perché fuggi da me? Non voglio farti del male. Se non mi ascolti, non conoscerai il segreto che potrebbe renderti felice per il resto della vita.

— Grazie, non mi interessa — rispose Digory. Ma nonostante questo, ascoltò le parole della strega.

— So perché ti trovi qui — proseguì lei. — Ero vicino a voi, la notte scorsa, e ho sentito quello che vi siete detti, tu e la tua amica. Hai colto un frutto nel giardino e lo hai messo in tasca. Devi portarlo indietro, senza poterlo assaggiare, perché devi consegnarlo al leone in modo che possa mangiarlo e servirsene lui. Povero ingenuo, lo sai che frutto è quello? Te lo dirò. Lo hai colto dall'albero della giovinezza, dall'albero della vita. Io lo so perché l'ho mangiato e i suoi effetti comincio già ad avvertirli. Adesso sono certa che non invecchierò e non morirò mai. Avanti, assaggia il frutto, vivremo in eterno e governeremo questo mondo oppure il tuo, se vorrai tornare indietro. Io sarò regina e tu il mio re.

— No, grazie, non mi interessa. Non m'importa di vivere in eterno, se intanto tutte le persone che conosco mi avranno lasciato. Io voglio una vita normale, voglio morire e andare in paradiso.

— Che ne sarà di tua madre? Eppure dici di volerle bene.

— Cosa c'entra mia madre?

— Ma non capisci, ingenuo che sei, che un solo morso di quella mela potrebbe guarirla per sempre? Avanti, tu hai la mela in tasca e noi due siamo qui da soli, lontanissimi dal leone. Usa i tuoi poteri e torniamo nel mondo da cui provieni. In meno di un minuto sarai al capezzale di tua madre e potrai farle assaggiare il frutto della giovinezza. Cinque minuti più tardi le sue guance riacquisteranno colore e non sentirà più dolore. Qualche minuto ancora e ti dirà che si sente forte, sempre più forte, poi cadrà in un sonno profondo. Pensa, un sonno ristoratore, dolce, sereno, senza sofferenza, senza dover più prendere le medicine. Il giorno dopo ti comunicherà che ormai sta benissimo e comincerà a riprendersi a meraviglia. Nella tua casa tornerà la gioia e tu, finalmente, avrai accanto a te la tua mamma, come tutti gli altri ragazzi.

— Ah! — L'esclamazione di Digory suonò come un lamento soffocato. Il ragazzo si portò la mano alla testa: sapeva bene che la scelta che aveva di fronte era terribile e definitiva.

— Il leone, cosa ha fatto per te? Perché dovresti essere suo schiavo? — insistette la strega. — Come potrà aiutarti quando sarai tornato nel tuo mondo? E cosa penserà tua madre, quando verrà a sapere che avevi la possibilità di guarirla, di riportarla alla vita e far sì che il cuore di tuo padre non si spezzasse per il dolore, ma che hai preferito fare da messaggero a un animale feroce, in uno strano mondo che non ha nulla a che vedere con il tuo?

— Io... io non credo che il leone sia un animale feroce — disse Digory con voce inaridita. — Lui... lui è... Non so...

— Ascolta bene, è molto peggio di un animale feroce. Guarda come ti ha ridotto: un ragazzo senza cuore. E succede lo stesso a tutti quelli che lo stanno a sentire. Ragazzo crudele e insensibile! Faresti morire la tua mamma, piuttosto di...

— Sta' zitta! — gridò l'infelicissimo Digory, sempre con la stessa voce. — Credi che non capisca? Ma io ho fatto una promessa.

— Non potevi sapere che cosa avresti promesso. Nessuno ci troverebbe nulla da ridire.

— La mamma sì — proseguì Digory, che ormai non aveva più la forza di parlare. — La mamma non approverebbe il mio comportamento. È stata lei a insegnarmi che si devono mantenere le promesse, che non si deve rubare eccetera. Sarebbe la prima a dirmi di non farlo, se fosse qui.

— Ma scusa, perché dovrebbe saperlo? — chiese la strega con una voce dolce e suadente che strideva con l'espressione crudele. — Non hai bisogno di dirle dove hai preso la mela… neppure tuo padre dovrà saperne niente. Nel tuo mondo nessuno dovrà immaginare la verità. Quanto all'unica testimone – la bambina, intendo – puoi lasciarla qui.

Non avrebbe mai dovuto dire una cosa del genere. Digory sapeva che Polly sarebbe potuta tornare a casa comunque, grazie all'anello che aveva in tasca, ma la strega lo ignorava; e il suggerimento di abbandonare l'amica fece capire a Digory che tutto quello che aveva detto era falso e cattivo. Anche se era afflitto, ora aveva le idee chiare e si rivolse alla strega con un tono ben diverso. — Senti un po' — disse con voce decisa. — A te cosa importa? Perché all'improvviso mostri tanto interesse per la sorte di mia madre? Cosa c'entra, con te? Avanti, scopri il tuo gioco.

— Bravo Digory — sussurrò Polly all'orecchio. — E adesso via! — Polly non aveva osato intromettersi nella discussione perché, capirete bene, non era sua madre che stava morendo…

— Monta su! — Digory aiutò Polly a salire sulla groppa di Piumino, balzandovi anche lui il più in fretta possibile. Il cavallo aprì le ali, pronto a spiccare il volo.

— Sì, andatevene, poveri ingenui — gridò la strega. — Pensa a me, ragazzo, quando sarai vecchio e debole, e ricordati di quando desti un calcio all'eterna giovinezza. Un'occasione del genere non ti capiterà mai più!

I tre erano così alti nel cielo che a malapena poterono sentire gli anatemi della strega. La quale, dal canto suo, non aveva voglia di perder tempo a guardarli mentre si allontanavano: la videro che scendeva per il fianco della collina, diretta a nord.

Quella mattina erano partiti presto e Digory non era rimasto a lungo nel giardino incantato: ragion per cui Polly e Piumino furono dell'avviso di proseguire nel volo e raggiungere Narnia prima di notte. Sulla via del ritorno Digory non disse neppure una parola e gli altri due, del resto, non se la sentirono di fare commenti. Era molto triste, poveretto, e non era ancora certo di aver fatto la cosa giusta. Ma tutte le volte che ripensava alle lacrime copiose che aveva visto scendere dagli occhi di Aslan, si rincuorava.

Per tutto il giorno Piumino volò ad ali spiegate verso est, lungo il fiume, attraverso le montagne e fin sopra le colline selvagge, dove gli alberi crescevano fitti; e poi ancora sulla cascata, per scendere verso i boschi di Narnia oscurati dall'ombra delle rocce. Il cielo alle loro spalle si tingeva di rosso, quando Piumino vide gli animali radunati sulla riva del fiume: in mezzo c'era anche Aslan. Il cavallo si preparò all'atterraggio, planando con le quattro zampe in avanti; arrivato quasi a terra, chiuse le ali e toccò il suolo, fermandosi dopo qualche passo al piccolo galoppo. I ragazzi smontarono. Digory s'incamminò fra animali, nani, satiri e ninfe che si facevano da parte per lasciarlo passare. Si diresse verso Aslan, gli porse la mela e disse: — Le ho portato la mela che mi aveva chiesto, signore.

— Molto bene — rispose Aslan. Al suono della sua voce la terra tremò.

Digory capì che tutti gli abitanti di Narnia avevano ascoltato le sue parole e che la storia delle sue avventure insieme agli amici si sarebbe tramandata di padre in figlio per secoli, forse per sempre. Ma Digory non corse il rischio di atteggiarsi a presuntuoso, perché al cospetto di Aslan non ebbe neppure il tempo di pensarci. Stavolta riuscì a sostenere lo sguardo del leone, poté guardarlo negli occhi: il ragazzo aveva dimenticato i suoi guai e si sentì invadere da una grande felicità.

— Molto bene, figlio di Adamo — fece ancora il leone. — Grazie per il frutto che hai desiderato mangiare, che avresti voluto succhiare e che ti ha fatto piangere. Solo la tua mano potrà piantare il seme dell'albero destinato a proteggere Narnia. Lancia la mela sulla sponda del fiume, dove la terra è più soffice.

Digory eseguì quello che gli era stato comandato. Tutti rimasero in perfetto silenzio e fu possibile sentire il tonfo della mela che atterrava sul fango.

— Molto bene, un bel lancio davvero. Ma adesso procediamo all'incoronazione del re Frank di Narnia e della regina Helen sua sposa — disse Aslan.

Finora i due ragazzi non avevano notato il re e la regina. Erano avvolti in abiti strani e molto belli: all'altezza delle spalle iniziava un lungo strascico di stoffa preziosa, le cui estremità erano sostenute da quattro nani per il re e da quattro ninfe per la regina. Sulla testa non avevano nulla, ma Helen si era sciolta i capelli e bisogna ammettere che era molto più carina. Ma non erano gli abiti né i capelli a rendere Frank ed Helen così diversi da un tempo. I loro volti avevano un'espressione nuova, soprattutto quello del re: l'aria furba e scaltra da attaccabrighe, che aveva assunto quando faceva il cocchiere a Londra, era definitivamente scomparsa, mentre adesso risaltavano il suo coraggio e la gentilezza. Doveva essere stata l'aria che si respirava nel nuovo mondo a compiere la trasformazione, oppure le lunghe conversazioni con Aslan. O forse tutte e due le cose.

— Parola mia, il vecchio padrone è proprio cambiato — sussurrò Piumino all'orecchio di Polly. — Adesso sì che è un vero padrone.

— Già, ma non mi sussurrare all'orecchio, mi fai il solletico — rispose Polly.

— E adesso alcuni di voi dovranno sbrogliare quel

groviglio di alberi, per farci vedere cosa c'è dentro — disse Aslan.

Digory vide che c'erano quattro alberi piantati l'uno accanto all'altro, con i rami raccolti insieme o legati con pezzetti di legno, in modo da creare una specie di gabbia. I due elefanti e alcuni nani, servendosi della proboscide e di piccole asce, riuscirono a sciogliere ben presto l'intricata matassa. Comparvero tre sagome: la prima era un alberello che pareva d'oro, la seconda un albero d'argento e la terza una cosa miserevole a vedersi, con indosso abiti bagnati pieni di fango e che sedeva tutta curva in mezzo ai due tronchi.

— Oddio, quello è zio Andrew! — esclamò Digory.

Ma per capire cosa era successo, è necessario tornare un po' indietro nel racconto. Ricorderete che le bestie avevano cercato di "piantare" lo zio e lo avevano perfino annaffiato. Quando l'acqua lo aveva riportato in sé, lo zio si era trovato bagnato fradicio, sepolto fino all'altezza delle ginocchia e circondato da un branco di animali selvatici in cui, ai bei tempi, non avrebbe mai pensato di imbattersi. Come reazione, lo zio aveva cominciato a strillare come una vecchia gallina spennacchiata, il che mi sembra comprensibile. In un certo senso era la cosa giusta, perché gli strilli avevano convinto gli animali che quella "cosa" era viva (se n'era convinto perfino il facocero). Così lo avevano tirato fuori dalla buca, ma i pantaloni erano ormai in uno stato indecente. Appena aveva avuto le gambe libere lo zio aveva provato a scappare, ma l'elefante, con un rapido movimento della proboscide, lo aveva afferrato per la vita e aveva messo fine al tentativo di fuga. Tutti si erano detti d'accordo di tenerlo prigioniero in un posto sicuro, per lo meno fino a quando Aslan non lo avesse visto e deciso il da farsi. Per questo avevano costruito una specie di gabbia e avevano continuato a tenerlo d'occhio per impedirgli di fuggire. Poi gli avevano offerto da mangiare, ovviamente ciò che secondo loro lo strano prigioniero avrebbe gradito meglio.

L'asino aveva raccolto una grande quantità di cardi e aveva cominciato a lanciarli nella gabbia, ma non sembrava che zio Andrew li avesse apprezzati. Gli scoiattoli lo avevano letteralmente bombardato di nocciole, ma lui si era coperto la testa con le mani per ripararsi. Gli uccelli avevano continuato a fare la spola per portargli tutti i vermi che riuscivano a raccogliere. L'orso, poi, si era rivelato di una gentilezza veramente fuori del comune. Nel pomeriggio aveva scovato un nido di api selvatiche e invece di mangiarselo (vi posso garantire che gli era già venuta l'acquolina in bocca) aveva deciso di offrirlo a zio Andrew.

E qui la faccenda si era fatta pericolosa. L'orso aveva lanciato il favo appiccicoso dall'alto, dov'era l'apertura della gabbia, con il brillante risultato di farlo cadere in faccia al vecchio mago. L'orso, al quale sarebbe sembrato più che naturale trovarsi con un favo pieno di api sul muso, non era riuscito a capire perché zio Andrew si fosse lanciato indietro, barcollando e finendo con l'inciampare sui cardi. — Comunque — come il facocero raccontò più tardi — ho visto io stesso, coi miei occhi, che un po' di miele era entrato nella bocca della strana creatura. E mi sembrava che gli fosse piaciuto!

Gli animali si erano affezionati a quella buffa cosa e

speravano che Aslan desse loro il permesso di tenerla.
I più scaltri erano convinti che gli strani rumori che
uscivano dalla sua bocca avessero un significato ben
preciso; lo avevano ribattezzato Brandy, perché borbot-
tava quelle sillabe molto spesso.

Giunta la sera, gli animali si erano visti costretti a lasciarlo solo. Aslan era impegnato a dare istruzioni al re
e alla regina e aveva avuto altre cose importanti da fare,
così non aveva trovato il tempo di occuparsi del "povero vecchio Brandy". Con tutte le noccioline, le bana-
ne, le mele e le pere che gli avevano lanciato gli animali, zio Andrew non aveva dovuto preoccuparsi della
cena; ma bisogna ammettere che non aveva passato una
notte tranquilla.

— Tirate fuori di lì quella creatura — ordinò Aslan.
Uno degli elefanti sollevò lo zio con la proboscide e lo

adagiò ai piedi del leone. Zio Andrew era troppo terrorizzato per dire o fare qualcosa.

— Per favore, Aslan — disse Polly — prova a rassicurarlo. Non vedi che trema come una foglia? Puoi dirgli qualcosa che lo convinca a non tornare mai più qui?

— Pensi davvero che abbia voglia di tornarci?

— Vedi, Aslan, potrebbe mandare qualcun altro. L'asta di ferro trasformata in un albero di lampione l'ha impressionato a tal punto, che pensa...

— Quell'uomo pensa delle solenni sciocchezze, cara ragazza. La grande esplosione di vita cui hai avuto la fortuna di assistere dura già da qualche giorno perché la canzone che ho intonato all'inizio, per far sì che gli animali e le cose prendessero vita, vibra tuttora nell'aria e permea la terra. Ma non durerà a lungo. Non posso spiegare tutto questo al vecchio peccatore e non posso dargli conforto, perché ha fatto in modo di non poter capire le mie parole. Se decidessi di parlargli, si convincerebbe di aver sentito solo ruggiti e mugolii. Figli di Adamo, perché vi difendete da ciò che può farvi bene? Ma non preoccuparti, offrirò a quell'essere l'unico dono che è ancora in grado di ricevere.

Il leone era piuttosto dispiaciuto. Si chinò e, quasi soffiando sul volto terrorizzato del mago, disse: — Dormi, dormi, e almeno per qualche ora allontana da te tutti i tormenti e i dolori che da solo ti sei procurato. — Zio Andrew si girò dall'altra parte e cadde in un sonno profondo.

— Prendetelo e mettetelo da una parte, disteso — dispose Aslan. — Continuerà a dormire ancora per un bel po'. E ora, amici nani, al lavoro: dateci prova della vostra abilità nel forgiare i metalli. Il vostro re e la vostra regina aspettano le rispettive corone.

Una miriade di nani, più di quanti se ne potessero immaginare, corse all'albero d'oro, ne raccolse le foglie e staccò alcuni rami; soltanto allora i ragazzi si resero conto che l'albero era veramente d'oro, tenero e facile da plasmare. Naturalmente era nato dalle due mezze sterline che erano cadute dalla tasca di zio Andrew, quando gli animali lo avevano messo a testa in giù per poterlo piantare. Lo stesso valeva per l'albero d'argento: in quel caso, si trattava delle tre mezze corone. Come per incanto comparvero cataste di legna da ardere, martelli, incudini, mantici e tenaglie. In un batter d'occhio (i nani sono creature ammirevoli, perché amano molto il loro lavoro) fu acceso un grande fuoco e i mantici soffiarono a ritmo continuo, mentre l'oro fondeva e i martelli picchiettavano senza sosta. Due talpe, alle quali Aslan già di prima mattina aveva dato ordine di addentrarsi nelle viscere della terra, lasciarono ai piedi dei nani mucchi di pietre preziose d'incomparabile bellezza.

Ben presto dalle mani dei nani, piccolissime ma sorprendentemente abili, presero forma le due corone. Non erano come quelle dei re e delle regine d'Europa, brutte e pesanti, ma leggere, delicate, dalla foggia assai semplice. Corone d'oro che, una volta indossate, riuscivano a rendere perfino più belli. Quella del re era tempestata di rubini, quella della regina di smeraldi.

Quando le corone si furono raffreddate nel fiume, Aslan invitò Frank ed Helen a inginocchiarsi davanti a lui e le pose sulle loro teste. Poi disse: — Alzatevi, re e regina di Narnia, padre e madre dei re che verranno e regneranno su Narnia e sulle isole della terra di Archen. Siate giusti, clementi e coraggiosi. Che la mia benedizione scenda su di voi.

Tutti acclamarono la coppia reale, chi abbaiando, chi nitrendo, chi con lunghi barriti o sbattendo le ali. Il re e la regina stavano in piedi, impettiti, e avevano un aspetto decisamente solenne, a parte una leggera timidezza che li rendeva ancora più nobili. Digory era impegnato ad acclamare la coppia reale quando sentì la voce di Aslan che diceva: — Guardate!

Si girarono tutti e trattennero il fiato per la magnificenza e la grandiosità dello spettacolo. Non molto lontano dal luogo dell'incoronazione era nato un nuovo albero: doveva essere cresciuto in silenzio, discreto, mentre tutti partecipavano ai festeggiamenti dell'incoronazione. I rami che si allargavano in ogni direzione sembravano far luce invece che ombra, e le mele d'argento spuntavano da sotto le foglie come stelle in cielo. Ma quello che riempiva di stupore e toglieva letteralmente il respiro, era il profumo che l'albero emanava.

Per qualche istante i presenti non furono in grado di pensare che a un profumo tanto insolito.

— Figlio di Adamo — disse Aslan — quest'albero è frutto della tua semina. E voi, abitanti di Narnia, avrete come primo dovere quello di proteggere l'albero, perché è e sempre sarà il vostro scudo. La strega di cui vi ho parlato è fuggita e ora si trova nel Nord del mondo: là costruirà la sua casa e rafforzerà i poteri magici. Ma fino a quando l'albero sarà rigoglioso, non oserà mettere piede a Narnia. Non oserà avvicinarsi perché il profumo di quest'albero, che per noi è gioia, vita e salute, per la strega rappresenta morte, dolore e disperazione.

Tutti guardavano l'albero con rispetto quando Aslan girò la testa all'improvviso (così facendo la criniera mandò lampi di luce dorata) e guardò i ragazzi con i suoi grandi occhi. — Cosa succede, figli miei? — chiese il leone. Si era accorto che Polly e Digory parlottavano animatamente fra loro, a bassa voce.

— O Aslan — balbettò Digory, diventato rosso — mi sono dimenticato di dirti che la strega ha già mangiato una delle mele. Era uguale a quelle che crescono su quest'albero. — Ma Digory non confidò al leone tutto quello che aveva in mente; per fortuna ci pensò Polly (nonostante tutto, Digory continuava ad avere paura di essere considerato uno sciocco).

— E allora, Aslan, abbiamo pensato che forse c'è qualcosa di sbagliato in quello che hai appena detto, e che alla strega il profumo delle mele non dia affatto fastidio.

— Perché pensi questo, figlia di Eva?

— Perché ha mangiato una mela.

— Mia giovane amica, per questo la strega ha orrore di tutto quello che la circonda. Succede a quelli che colgono e mangiano i frutti al momento sbagliato, nel modo sbagliato. I frutti sono buoni, ma loro li odieranno subito e per sempre.

— Adesso capisco. Con la strega il frutto magico non ha funzionato perché lo ha colto nel modo sbagliato. Perciò non rimarrà giovane in eterno, vero?

— Questo no, purtroppo. Gli eventi seguono sempre il loro corso. La strega ha esaudito il suo desiderio più grande: l'attendono giorni gagliardi, eterni, in cui penserà di essere al centro del mondo e di tutte le cose. Ma vivere in eterno con il cuore corroso dal male e dalla cattiveria significa vivere nella disperazione e nel dolore. E questo la strega ha già cominciato a capirlo.

— Aslan, io... io stavo per mangiare un frutto di quell'albero — confessò Digory. — Allora anch'io...

— Anche tu — disse il leone. — Perché il frutto ha sempre effetto, ma per quelli che lo colgono per soddisfare il loro egoismo si tratta di un effetto funesto. Se un abitante di Narnia avesse rubato una mela e l'avesse piantata qui per proteggere la nostra terra, ci sarebbe riuscito. Il frutto, insomma, avrebbe mantenuto i suoi poteri. Ma sarebbe stata una Narnia diversa, e questo sarebbe diventato un impero feroce e crudele come quello di Charn e non la terra buona e gentile di adesso. E dimmi, figlio, la strega voleva convincerti a portare a termine un'altra faccenda, vero?

— È vero, Aslan. Voleva che portassi a casa, alla mia mamma, uno di quei frutti.

— Capisci adesso che la mela avrebbe guarito tua madre, ma né tu né lei avreste più conosciuto gioia e felicità? Sarebbe arrivato il giorno in cui sia tu che la mamma avreste rimpianto amaramente di aver assaggiato quel frutto, certi che sarebbe stato meglio morire per la malattia che l'aveva afflitta in passato.

Digory non riusciva a rispondere perché aveva gli occhi gonfi di lacrime: ormai aveva perso tutte le speranze di vedere sua madre guarita. Ma se da un lato soffriva terribilmente, dall'altro aveva capito che il leone sapeva cosa sarebbe accaduto, se avesse portato quel frutto nel suo mondo; e che ci sono cose più terribili della perdita di qualcuno che ci è tanto caro.

Aslan parlò di nuovo e stavolta le sue parole furono lievi come un sospiro. — Questo sarebbe accaduto con una mela rubata. Ma non è quello che avverrà adesso, perché ti regalerò ciò che può dare gioia e felicità. Si tratta di qualcosa che non ti renderà eterno, ma potrà guarire dolore e malattie. Vai, cogli una mela dall'albero.

Per un attimo Digory rimase immobile, senza capire bene cosa dovesse fare. Si sentiva come se il mondo girasse nel verso sbagliato, creandogli dei grossi problemi di orientamento. Poi, come in un sogno, mentre il re, la regina e le altre creature salutavano il suo passaggio, si diresse verso l'albero, colse una mela e la mise in tasca. Quindi tornò da Aslan.

— Per favore, posso tornare a casa? — disse. Aveva dimenticato di dire grazie, ma il ringraziamento era sottinteso e il leone capì.

—Non avete bisogno di anelli, quando io sono con voi — tuonò la voce di Aslan. I due ragazzi batterono gli occhi e si guardarono intorno: erano di nuovo nella Foresta di Mezzo. Zio Andrew era steso sull'erba e dormiva profondamente. Aslan era con loro.

— Venite — li incoraggiò il leone — per voi è tempo di tornare a casa. Ma ci sono due cose importanti su cui vorrei richiamare la vostra attenzione: la prima è un avvertimento, la seconda è un comando. Guardate.

Polly e Digory seguirono lo sguardo di Aslan e fra l'erba videro una buca con il fondo erboso e asciutto.

— Quando siete stati qui l'ultima volta — disse Aslan — al posto di quella buca c'era uno stagno. Voi ci siete saltati dentro, ricordate? E vi siete trovati dove il sole morente illuminava le rovine di Charn. Adesso lo stagno è scomparso perché il mondo di Charn è finito, come se non fosse mai esistito. Fate in modo che la discendenza di Adamo ed Eva tragga insegnamento da questo.

— Sì, Aslan — risposero in coro i due ragazzi. E Polly aggiunse: — Ma noi non siamo cattivi come in quel mondo, vero?

— Non ancora, figlia di Eva — rispose Aslan — non ancora. Ma il vostro mondo si avvia a eguagliare quel primato, e non è detto che qualcuno di voi non riesca un giorno a scoprire un segreto malefico come la parola deplorevole, e non decida di usarlo per distruggere tutti gli esseri viventi. Presto, molto presto, prima che la vecchiaia tinga di bianco i vostri capelli, le grandi nazioni del vostro mondo saranno governate dai tiranni. A loro, simili in tutto e per tutto all'imperatrice Jadis, non interesseranno gioia, giustizia e compassione. Mi raccomando, mettete in guardia il vostro mondo! E adesso veniamo al comando. Cercate di impossessarvi degli anelli magici di zio Andrew, e quando li avrete raccolti tutti seppelliteli, in modo che nessuno possa usarli di nuovo.

I due amici guardarono il volto del leone che concludeva il suo discorso. Non capirono come potesse accadere, ma a un tratto il volto si trasformò in un mare dorato nel quale navigavano: e furono presi da una gioia e una sensazione di potenza tali che pensarono di non essere mai stati saggi, vivi, svegli e felici prima di allora. E il ricordo di quel momento li accompagnò per tutta la vita, al punto che, fino a che vissero, ogni volta che erano tristi, arrabbiati o impauriti pensarono a quella felicità dorata e alla profusione di bene che ne scaturiva: e l'impressione che tutto questo fosse ancora lì, vicino a loro, a portata di mano, li fece sentire subito meglio. Un minuto più tardi, tutti e tre (lo zio Andrew era ancora addormentato) piombarono nella confusione e nel puzzo di Londra.

Si trovavano sul marciapiede davanti alla porta d'ingresso dei Ketterly e tranne la strega, il cavallo e il cocchiere, tutto era rimasto come l'avevano lasciato. C'era il lampione senza una delle aste, c'erano i rottami della carrozza distrutta e c'era ancora la folla. Tutti parlavano e alcuni erano inginocchiati accanto ai poliziotti che avevano subito l'ira di Jadis, cercando di consolarli. — Come vi sentite, adesso? Non preoccupatevi, l'ambulanza sarà qui a momenti — dicevano.

"Caspita, ma allora la nostra avventura è durata meno di un lampo!" pensò Digory.

La maggior parte dei presenti era all'affannosa ricerca di Jadis e del suo cavallo. Nessuno fece dunque caso ai ragazzi, dato che nessuno li aveva visti andar via o tornare. Per quanto riguarda zio Andrew (finalmente sveglio), vuoi per le condizioni disastrose dei suoi abiti, vuoi per il miele che aveva ancora appiccicato sulla faccia, nessuno avrebbe mai potuto riconoscerlo. Per fortuna la cameriera (che giorno fu quello, per lei!) se ne stava sulla porta a guardare la scena e i ragazzi non ebbero difficoltà nel far sgusciare zio Andrew in casa prima che qualcuno potesse fare domande.

Lo zio li precedette di corsa su per le scale, e per un attimo Polly e Digory temettero che volesse tornare nello studio per nascondere gli altri anelli magici. Ma ben presto scoprirono che non era il caso di preoccuparsi:

la cosa che in quel momento stava più a cuore allo zio era la bottiglia di brandy che conservava gelosamente nell'armadio. Una volta arrivato davanti alla porta della camera da letto, entrò e si chiuse subito a chiave; quando ne uscì, dopo un bel po', aveva addosso la veste da camera e si diresse verso il bagno.

— Polly, pensi tu a prendere gli anelli che troverai nello studio? Io vorrei andare dalla mamma — disse Digory.

— Va bene. Ci vediamo più tardi — rispose lei, cominciando a salire le scale.

Digory impiegò almeno un minuto per riprendere fiato, poi entrò piano nella stanza da letto della mamma. La povera donna era distesa nella posizione in cui Digory la vedeva ormai da tanto tempo, abbandonata sui cuscini, con il volto pallido e magro che solo a guardarlo faceva venir da piangere dalla compassione. Digory tirò fuori di tasca la mela della vita.

Proprio come la strega Jadis, che nel nostro mondo era molto diversa da come appariva nel suo, il frutto del giardino incantato aveva un aspetto diverso. Nella stanza da letto c'erano molte cose colorate: il copriletto, la carta alle pareti, il sole che filtrava dalle finestre e la deliziosa vestaglia celeste della mamma. Ma quando Digory ebbe tirata fuori la mela, gli altri colori sembrarono dissolversi. La lucentezza e il magico splendore del frutto creavano strani giochi di luce sul soffitto e non si poteva che guardare la mela e solo la mela. Il profumo del frutto della giovinezza era tale che pareva ci fosse una finestra aperta sul paradiso.

— Caro, che frutto meraviglioso — disse la mamma con un filo di voce.

— Mangerai questa bella mela, vero, mamma?

— Io... il dottore forse si arrabbierà, ma sento che devo mangiarla — sussurrò la donna.

Digory sbucciò il prodigioso frutto e lo offrì alla mamma, spicchio dopo spicchio. La donna non aveva ancora finito di mangiarlo che, con un sorriso, sprofondò nel cuscino, socchiuse gli occhi e cadde in un sonno profondo. Dopo tanto tempo finalmente un sonno vero, naturale, ottenuto senza l'aiuto dei terribili farmaci che erano diventati l'unica cosa che la mamma desiderasse davvero. Digory la osservò bene: adesso il suo viso era diverso. Si chinò su di lei e la baciò delicatamente, con dolcezza. Quando uscì dalla stanza aveva il cuore

che gli batteva forte e aveva conservato il torsolo della mela.

Per il resto della giornata, mentre non poteva fare a meno di notare come tutto quello che gli stava intorno fosse assolutamente comune e privo di magia, Digory continuò a dubitare che i poteri del frutto funzionassero contro la malattia della mamma: ma bastava ripensare all'espressione di Aslan per tornare a sperare.

Quella sera Digory seppellì il torsolo di mela in giardino.

La mattina, durante la visita che il medico faceva alla mamma ogni mattina, Digory si affacciò sulle scale per ascoltare. Il dottore uscì dalla stanza con zia Letty e pronunciò queste parole: — Signorina Ketterly, sono sbalordito. È il caso di guarigione più straordinario che abbia mai visto nella mia lunga carriera. Un miracolo, un vero miracolo. Per il momento è meglio non parlarne affatto col piccolo Digory, perché fino a che la situazione non si chiarisce non voglio dargli false speranze. Ma, secondo me… — Poi Digory non sentì più nulla, perché il dottore prese a parlare a voce bassa.

Nel pomeriggio Digory scese in giardino e fece un fischio a Polly: era il segnale convenuto (il giorno prima non era scesa in giardino perché non le avevano dato il permesso).

— Novità? — chiese Polly affacciandosi al muro che divideva il suo giardino da quello dei Ketterly. — Tutto bene per la tua mamma?

— Credo… credo che tutto stia andando per il meglio — rispose Digory. — Però, se non ti dispiace, per il momento preferirei non parlarne. E tu cosa mi dici degli anelli?

— Li ho qui con me. Non preoccuparti, ho i guanti! Perché non li seppelliamo subito?

— D'accordo. Ho lasciato un segno dove ho sepolto il torsolo di mela, ieri sera.

Polly scese dal muro e insieme i due bambini si diressero verso quella zona del giardino. Scoprirono ben presto che il segnale era stato superfluo. Qualcosa spuntava dal terreno: certo non cresceva a vista d'occhio come i nuovi alberi di Narnia, ma era già sopra il livello del suolo. Polly e Digory presero una paletta da giardinaggio e seppellirono gli anelli intorno all'alberello appena spuntato, compresi i loro personali.

Dopo una settimana la madre di Digory stava decisamente meglio; qualche giorno più tardi fu addirittura in grado di sedersi in giardino. Dopo un mese, la casa sembrava un'altra. Zia Letty esaudiva tutti i desideri della mamma. Le finestre erano aperte e tendine coloratissime rendevano più luminose le stanze. C'erano fiori dappertutto e a tavola venivano servite leccornie prelibate. La mamma riprese a cantare accompagnandosi con il piano, e siccome scherzava sempre con Digory e Polly, zia Letty ogni tanto diceva: — Mabel, non sei altro che la bambina più cresciuta!

Di solito, quando le cose vanno male, ma proprio male, sembra che vadano sempre peggio; in compenso, non appena cominciano a migliorare, spesso andranno sempre meglio. Dopo circa sei settimane di vita spensierata e allegra, giunse dall'India una lettera: il mittente era il padre di Digory. In essa si diceva che il vecchio prozio Kirke era defunto e da questo si poteva dedurre che il papà di Digory sarebbe diventato molto ricco. Quindi aveva deciso di mettersi in pensione e tornare a casa appena possibile. Ma la cosa più fantastica era che finalmente la famiglia Kirke si sarebbe trasferita nella magnifica villa di campagna di cui Digory aveva sentito parlare a lungo e che non aveva ancora avuto il piacere di vedere: la grande villa con il parco, il fiume, i boschi, i fossi, le stalle, le serre e, dietro, le montagne. Lì avrebbe avuto una vita felice con il suo papà e la mamma: Digory ne era sicuro.

Ma prima di congedarci, lasciate che vi dica ancora un paio di cose.

Polly e Digory rimasero amici per la pelle e nel periodo delle vacanze Polly andava sempre a trovare Digory nella sua splendida villa; fu lì che imparò ad andare a cavallo, a nuotare, a mungere il latte, a scalare le rocce e a cucinare i dolci.

A Narnia gli animali vissero in pace e concordia: né la strega né altri nemici osarono turbarne la quiete per secoli e secoli. Il re Frank e la regina Helen, insieme alla loro prole, vissero felici e contenti e il loro secondo figlio divenne re della terra di Archen. I figli maschi sposarono delle ninfe, le figlie sposarono alcune divinità del fiume e della foresta. L'asta di ferro che la strega aveva piantato senza saperlo, faceva luce giorno e notte nella foresta di Narnia. E quando, molti anni dopo, una bambina del nostro mondo raggiunse Narnia, durante una fredda notte in cui fioccava la neve, si imbatté nella luce ancora accesa, e questa nuova avventura ha in un certo senso a che fare con la storia che vi ho appena raccontato.

Le cose andarono così. Ricordate l'alberello che era nato nel giardino di Digory, dopo che lui aveva sepolto il torsolo di mela magica? Bene, adesso era cresciuto ed era diventato un bell'albero. Visto che era stato piantato nel suolo del nostro mondo, l'albero non aveva mele che potessero guarire chi sta per morire, come era invece avvenuto per la madre di Digory. Comunque era carico di frutti bellissimi e saporiti, mele straordinarie che, pur non essendo magiche, erano fra le migliori che si trovassero in Inghilterra. Ma l'albero, dentro di sé, non aveva dimenticato l'altra pianta a Narnia, l'albero-madre cui apparteneva. Qualche volta, misteriosamente, i rami e le foglie si muovevano senza che soffiasse un alito di vento: io credo che avvenisse quando a Narnia soffiava forte il vento da sudovest. Ma in seguito fu provato che nel legno dell'albero cresciuto nel giardino di Digory c'era ancora qualcosa di magico: infatti quando Digory era ormai un signore di mezza età (divenne un noto letterato e un famoso professore che amava viaggiare continuamente), e quando la casa dei Ketterly fu di sua proprietà, una gran tempesta sradicò quasi tutti gli alberi della zona e fra questi il suo melo. Digory non poteva certo sopportare che proprio quell'albero diventasse legna da ardere, e così con una parte del legno costruì un armadio per la sua villa di campagna. Tuttavia non fu Digory a scoprire i poteri magici dell'armadio, ma qualcun altro. Fu così che iniziarono i primi scambi fra Narnia e il nostro mondo. Ma questa è un'altra storia e potrete leggerla nei libri successivi.

Quando Digory e la sua famiglia si trasferirono nella grande villa di campagna, portarono zio Andrew con loro. Questo perché il padre di Digory aveva detto: — Bisogna fare in modo che il vecchio zio non si cacci nei guai, e poi non mi sembra giusto che zia Letty debba occuparsi sempre di lui. — Zio Andrew non tentò più esperimenti di magia finché visse. Aveva finalmente imparato la lezione, e in vecchiaia divenne molto più gentile e disponibile. Ma a una cosa non poteva rinunciare: invitare gli ospiti a seguirlo, uno alla volta, nella sala del biliardo, dove si perdeva nel racconto di una signora bellissima e misteriosa, forse la regina di un paese che non è il nostro, che proprio lui aveva guidato per le strade di Londra. «Aveva un gran brutto carattere, questo sì» era solito concludere lo zio «ma che gran donna, signore, che gran donna!»

INDICE

C.S. LEWIS

Clive Staples Lewis (1898-1963) nacque a Belfast, in Irlanda, ma crebbe in Inghilterra, dove la sua famiglia si era trasferita. Nel 1923 si laureò a Oxford dove cominciò la carriera accademica che lo portò a insegnare per più di trent'anni. Qui strinse amicizia con J.R.R. Tolkien e Charles Williams, insieme ai quali partecipò al circolo letterario degli Inklings. È stato un importante studioso, critico e saggista, autore di più di quaranta titoli di tema storico, letterario e religioso.

Appassionato sin da piccolo di storie fantastiche e leggende, divenne noto al grande pubblico soprattutto come autore del ciclo "Le Cronache di Narnia", sette romanzi ambientati nel mondo meraviglioso di Narnia (*Il nipote del mago, Il leone, la strega e l'armadio, Il cavallo e il ragazzo, Il principe Caspian, Il viaggio del veliero, La sedia d'argento, L'ultima battaglia*), che hanno avuto un immediato e travolgente successo in tutto il mondo e che hanno ispirato una spettacolare serie cinematografica. Le altre sue opere più conosciute per adulti sono *Le lettere di Berlicche* e la trilogia fantascientifica *Perelandra*.

© Brian Sibley

PAULINE BAYNES

È nata a Hove, in Sussex, nel 1922, ma ha trascorso l'infanzia in India. Tornata in Inghilterra, ha frequentato la Slade School of Fine Art. Dopo aver lavorato per il Ministero Britannico della Difesa (in particolare nella stesura di mappe, acquisendo la grande esperienza che le permetterà in seguito di disegnare le mappe per i mondi fantastici di C.S. Lewis e di J.R.R. Tolkien), si è dedicata all'illustrazione, realizzando almeno un centinaio di libri e diventando l'illustratrice preferita di Tolkien, come lui stesso dichiarò.

È morta nel 2008.

C.S. LEWIS
IL LEONE, LA STREGA E L'ARMADIO

junior

TERRA **1940** – NARNIA **1000** C'è la guerra, e per Peter, Susan, Edmund e Lucy è meglio rifugiarsi in campagna. Nella grande casa che li ospita scoprono un immenso armadio che sembra fatto apposta per nascondercisi: in realtà è una porta per entrare in un altro mondo, dove gli animali parlano e nessun incantesimo è impossibile. Ma una strega malvagia ha cancellato le stagioni, mutando il felice regno di Narnia in una landa desolata. Per fortuna c'è qualcuno che può rimettere le cose a posto…

C.S. LEWIS
Il cavallo e il ragazzo

 junior

Terra 1940 – Narnia 1014 «Come vorrei che potessi parlare, amico mio.» Shasta non poteva immaginare che, rivolgendosi così a un cavallo, ne avrebbe avuto risposta. Ma Bri ha il dono della parola perché viene da Narnia, terra felice da cui è stato rapito e a cui vuole tornare. La stessa terra che Shasta desidera esplorare da sempre. Comincia così un viaggio fitto di insidie, avventure e nuovi amici, che sarà per loro una prova di cuore, coraggio e saggezza.

Oscar junior